Katharina Messner

Um die Pfote gewickelt

Um die Pfote gewickelt

Kater Tizian erzählt

Von Katharina Messner

Amalthea

Besuchen Sie uns im Internet unter
http://www.amalthea.at

1. Auflage Juli 2006
2. Auflage November 2006

Umschlagabbildung: Monika Zore
Umschlaggestaltung, Herstellung und Satz: studio e, Josef Embacher
Gesetzt aus der 11/13 pt Goudy
Gedruckt in der EU
ISBN 3-85002-569-1
ab 1.1.2007: ISBN 978-3-85002-569-0

Inhalt

Die blaue Glücksfee der Katzen

Wenn Sie denken, ich wäre ein Wunschkind gewesen, so kann ich das nur mit halbem Katerherzen bestätigen. Ja, mein Vater, der narbenübersäte Petz, der Kämpfer und Draufgänger, wollte seine Katzengene weitergeben, möglichst oft. So hat es die Natur vorgesehen. Sein Mut und seine Bauernschläue sollten in seinen Kindern, in vielen, vielen Katzenkindern weiterleben. Und natürlich wollte mich meine Mutter Alice. Es gibt ja kaum zärtlichere und liebevollere Mütter als Katzenmütter.

Nur was die Menschenfamilie betrifft, zu der Alice gehörte, die wollte mich nicht, nicht wirklich. Zumindest duldete sie mich nur insoweit, als sie sicher sein konnte, mich nach der biologisch notwendigen Mutterkarenz von acht Wochen wieder los zu sein.

Die Menschenfamilie meiner Mutter Alice hatte Pferde, einen Esel, Kaninchen, Meerschweinchen, Hühner. In meinen Kateraugen alles unnützes Getier. Aber ich will hier keinen Glaubenskrieg um tierische Existenzberechtigungen anzetteln. Mein Standpunkt war und ist ein höchst tizianbezogener: Ich bin wichtig. Ich bin die Nummer eins. Hauptsache es gibt mich und es geht mir gut. „Die Marke Ich" – dieser Begriff könnte für mich erfunden worden sein.

Eine Katze hatten die Menschen dort auch, eben meine Mutter Alice. Und dass sie eine Kätzin hatten, beruhte schlicht auf einem Irrtum. Sie wollten nämlich einen Kater. Als im Nachbarhof ein Wurf junger Wollknäuel im Heu lag, beschloss man, einen Kater fürs Grobe, soll heißen für die lästigen Mäuse, die ums Haus schon fröhliche Urständ feierten, zu nehmen. Alice war rot. In der Regel sind nur Kater rot. Rote Katzenweibchen sind die Ausnahme, von der die Menschen aber nichts wussten. Und sie schauten nicht so genau. „Mit Katern hat man keine Nachwuchsprobleme", sagte der Herr des Hauses. „Wir werden ihn Aladin nennen."

Aus Aladin wurde im Heranwachsen Alice. Es war nicht zu übersehen und nicht zu leugnen. Aber nun hatte Alice ihre Zweibeiner bereits mit so viel Sanftmut und Geschnurre bezaubert, dass sie bleiben durfte. Auch stellte sich schon bald heraus, dass sie eine begnadete Mäusefängerin war. Eine Meisterin auf dem Gebiet „Hört ihr Mäuslein, lasst euch sagen, euer letztes Stündlein hat geschlagen".

Ja, man ließ sie sogar ihren ersten Wurf bekommen. Jenen Schicksalswurf, der mich, den einmaligen Tizian, hervorbringen würde. Allerdings machte man sich wohl Gedanken um den Nachwuchs. Meiner Meinung nach, keine guten. Aber was soll's, ich hätte es ohnehin nicht ändern können. Und was mich persönlich betrifft – mich hat die blaue Glücksfee der Katzen (angeblich trägt diese das rauchblaue Plüschfell der wunderschönsten Kartäuserkatze) mit ihrem Zauberstab berührt. Ich durfte leben. Ich darf mit meinem Schicksal zufrieden sein.

„Die Jungen, für die wir Plätze haben, werden behalten. Die anderen schaff ich fort", sagte der Herr des Hauses, als sich der Bauch meiner Mutter Alice zunehmend rundete. Bedenken Sie: fortschaffen! Wie das klingt!

Dabei war der Mann keineswegs herzlos. Er dachte nur praktisch nach Menschenart. Gut, dass meine Mutter Alice ihn nicht verstehen konnte. Sie trug immerhin sechs klitzekleine Katzenbabys unter dem Herzen und war eine prächtige, sanfte, stolze werdende Mama.

Tizian auf Herbergssuche

Der Sohn des Hauses fragte bei Freunden nach: „Du, unsere Alice bekommt Junge. Wir brauchen gute Plätze!"

„Wollen tät ich schon. Aber dürfen tu ich nicht. Meine Eltern erlauben kein Haustier."

„Wir haben doch den Hund, der hasst Katzen."

„Danke, kein Katzenbedarf."

Die Herbergssuche für die noch Ungeborenen verlief nicht eben erfolgreich. Der Sohn des Hauses war unglücklich. Er liebte Alice. Er liebte ihre Kinder schon jetzt. Er wollte nicht, dass sie „fortgeschafft" würden.

Er traf den ältesten Sohn jener Frau, deren wichtigste Lebensaufgabe mittlerweile darin besteht, meine Katzenfutterdosen heimzuschleppen. Das wusste sie damals natürlich ebenso wenig wie ich, der noch in jenem Teich herumschwamm, wo die ungeborenen Katzenkinder auf großen Seerosenblättern gewiegt werden, ohne dass ihnen auch nur eines ihrer Fellhaare benetzt wird.

„Du Philipp, wollt's ihr nicht eine Katze? Wenn ich keine Plätze für die Jungen von der Alice finde, schafft der Papa sie fort."

Die Schicksalsfäden begannen sich zu vernetzen, begannen mein Leben zu knüpfen.

Da saß er, der junge Mann, der so lange zu unserem Haushalt gehört hatte, bis er fortzog, um sich sein eigenes Leben einzurichten. Er überlegte nicht lange. Kein

Herumfackeln in Zeiten höchster Katzennot. „Wir nehmen einen Kater!" Die Freunde waren sich einig. Auch wenn Philipps Mutter erst unlängst kategorisch erklärt hatte: „Nie wieder ein Haustier!" Wer wollte diese Äußerung schon ernst nehmen, im Hinblick darauf, dass es galt, mich, den einzigartigen Tizian, zu retten.

Man stellte die Frau vor vollendete Tatsachen. „Mama, du wirst doch nicht wollen, dass der kleine Kater stirbt!" Was kann eine Katzenfreundin auf so eine Frage schon antworten.

So kam es, dass ich das Licht der Welt nicht nur erblicken, sondern es auch weiterhin genießen durfte. Ich und meine kleine Schwester, die Glückskatze mit dem dreifarbigen Fell. Für die hatte sich im letzten Moment noch eine gute Seele, eine entfernte Tante gefunden.

Alice brachte uns im warmen Heizungskeller zur Welt. Sie war eine so wundervolle Mutter. Sie liebkoste ihr kleines Sextett, biss uns die Nabelschnur durch, fraß unsere Nachgeburt und leckte uns die noch geschlossenen Augen.

Vier von uns verschwanden noch in derselben Nacht. Ich kann mich nicht daran erinnern, ob meine Mutter ihnen nachgeweint hat. Ob sie ihr sehr abgegangen sind. Ich hoffe nicht.

Ich war schließlich genug mit mir selbst beschäftigt, mit meinem Lebenwollen. Ich und meine Glückskatzenschwester hingen stundenlang an den Zitzen unserer Mutter oder wir vergruben unsere winzigen Nasen in ihrem schimmernden roten Fell. Wir liebten ihren Duft, ihre raue Zunge, mit der sie uns die Ohren putzte, ihren sanften Nackenbiss, mit dem sie uns, eins nach dem anderen, an sonnigen Mittagen vom Wohnzimmer –

dahin waren wir mittlerweile übersiedelt – auf die Terrasse trug.

Ich hatte eine wundervolle Katzenkinderstube. Ich kam nie auf die Idee, dass ich da einmal weg müsste. Naives Katzenbabydenken.

Ein rotes Minimonster

Heute bin ich bereits viele Jahre weg vom Ort meiner Kindheit. Und Alice, meine Mutter, starb sehr jung. Sie ist schon lang im Katzenhimmel. Dort, wo für brave Katzenmütter der Mäusetisch stets reichlich gedeckt ist und wo es alle Tage lang so warm und gemütlich ist, wie auf der Ofenbank. Dort, wohin auch ich einmal auf leisen Katersohlen schleichen werde. Am Ende meiner neun Leben. In der Zwischenzeit habe ich noch genug zu tun.

Wir Stubentiger tragen ja in unserer Seele noch die Ahnung von einem freien, wilden Leben. Wir lauern im Garten auf Mäusebeute, nicht anders, als die Steppenkatze Asiens im Dickicht Eidechsen jagt. Wir marschieren auf leisen Pfoten ums Haus, nicht anders, als seinerzeit die nubische Falbkatze um die Kornkammern von Jericho schlich. Wir plündern die Amselnester in der Zaunhecke, nicht anders, als die mitteleuropäische Wildkatze sich an den Vogelgelegen im Wald gütlich tut.

Unser Herz aber haben wir, im Gegensatz zu den wilden Artgenossen, dem Menschen geschenkt. Und in unserem Gemüt bleiben wir ein Katzenleben lang kindlich: schmusesüchtig und zärtlichkeitsvernarrt. Wenn man uns streichelt, treteln wir mit den Vorderpfoten wie Katzenbabys an der Mutterzitze und schnurren wie ein Spinnrad in der warmen Stube.

Es ist schon so: Wer uns Katzen liebt, der streichelt

uns, hingebungsvoll, aufmerksam, und nie gegen den Strich.

Apropos Streicheln: Die Frau, die meine Katzenfutterdosen heimschleppt, weiß, was sie mir schuldig ist: streicheln und lieb haben bis zum Abwinken. Dafür danke ich ihr mit meinem tiefsten und brummigsten Schnurren! Schade, dass Sie das nicht hören können!

Genau acht Wochen war ich alt, als man mich beim Schopf nahm und wegtrug aus dem Haus meiner frühen Kindheit. Der Sohn des Hauses und sein Freund Philipp packten mich in einen Schulrucksack und verfrachteten mich ins Auto. Meine Güte, hatte ich da Herzklopfen! Bis zum Hals pochte es. Ich miaute mir meine kleine Katzenseele aus dem Leib. Ich rief nach meiner Mutter Alice, ja sogar nach meiner Glückskatzenschwester, obwohl mir ansonsten gar nicht so viel an ihr gelegen war. Aber in der Not erinnert sich ein verschrecktes Katzenkind sogar an die geschwisterliche Konkurrenz.

Alles Miauen war vergebens. Das Auto fuhr weiter und weiter. Als es hielt, trug man mich ein paar Treppen hoch und präsentierte mich der versammelten Familie wie eine Spielzeugneuerwerbung. „Das ist jetzt unser Kater!"

Sechs Zweibeiner – zwei der erwachsenen Art und vier Zweibeinerkinder von der Volksschülerin bis zum Maturanten – bestaunten mich.

„Gott, wie süß!" „Nein, wie niedlich!" „Und wie rot!" Ich, das verschreckte Fellbündel, hatte sie alle augenblicklich um meine rote Pfote gewickelt. Dabei war ich damals kaum größer als Philipps Handteller, auf dem ich lag.

Man trug mich herum und zeigte mir die Futterschüsseln und das Katzenklo. Ich habe mir alles sofort gemerkt. Das mit dem Fressen sowieso, und auch das mit dem Katzenstreu. Ich komme schließlich aus einer guten Katzenkinderstube. Meine Mutter Alice hatte mir schon bald beigebracht, stubenrein zu sein. Diesbezüglich habe ich meiner Familie noch nie Schwierigkeiten gemacht. Keine Pfütze auf dem Teppich, nichts Ungutes hinter dem Vorhang.

Und natürlich bin ich auch beim Fressen Sieger in allen Disziplinen. Ich bin unschlagbar in der Kategorie Mehr-Mehr-Mehr. Essen ist das Thema meines Lebens. Das wird hier noch öfter zur Sprache kommen.

Nach dem Rundgang setzte man mich auf den Boden und ich schnupperte und begutachtete und war völlig überfordert. Der erste große Schreck: ein Spiegel! Ich sah mich selbst, ich hatte mich doch noch nie zuvor gesehen. Ein rotes Minimonster! Ein Raubtier! Ich durchschaute mich blitzschnell. Ich lief davon. Wie mir schien, rannte ich um eines meiner Katzenleben. Heute, abgeklärt und klug, muss ich darüber lächeln. Aber damals war mir mehr nach Schluss-mit-Lustig zumute.

Ich rettete mich hinters Sofa. Und ich schlief augenblicklich ein. Ich brach sozusagen weg. Von einer Sekunde auf die andere. Ungewiegt, fix und foxi. Und doch irgendwie glücklich. Es würde sich leben lassen mit diesen Zweibeinern, mit meiner Familie. Sie machten einen fügsamen, erziehbaren Eindruck. Ich würde keine Schwierigkeiten mit ihnen haben. Klar, mit meinem Einzug würden sich die hierarchischen Strukturen verändern. Aber damit muss jeder rechnen, der einen unserer Art bei sich aufnimmt. In Wahrheit sind nämlich wir die Herren des Hauses. Auch wenn wir manchmal, um des lieben Katzenfriedens willen, gnädig sind und so tun, als ob auch Zweibeiner etwas zu sagen hätten. Glauben Sie mir: alles Katerlug und Katzentrug! Wir Stubentiger sind es, die bestimmen, wie und wo es langgeht in unserer Familie.

So viel Schönheit darf nicht verhungern

Wie sieht er denn aus, euer neuer Kater? So fragten Freunde meine jungen Zweibeiner. Ja, wie sehe ich aus?

Die Frau, die meine Katzenfutterdosen heimschleppt, findet, mein Pelz könnte als Vorlage für Stoffmuster dienen. Ich wäre gestreift und gepunktet, geringelt und gefleckt, und manchmal würde man sogar ein wenig Kariertes über meinem Brustbein erkennen. Alles Ton in Ton, also Rot auf Rot. Na bitte, wer hat, der hat eben!

Damit so viel Schönheit nicht unversehens vom Fleisch fällt, verbringe ich mein halbes Katerleben in Warteposition. Ich warte auf Futter. Ich sitze in der Küche an den strategisch erprobten und bewährten Punkten: auf dem Kompostkübel, vor der Futterschüssel, vor dem Kasten. Oder ich renne den Zweibeinern so lange zwischen den Füßen herum, bis einer über mich stolpert und sich meiner erbarmt.

Der Menschen Erbarmen mit uns Unersättlichen besteht aus Dosenfutter, Trockenfutter, Schälchenfutter. Ich für meine Katerperson liebe auch Biskuit und Schnittkäse. Käsekater sagt man deshalb manchmal zu mir. Und das hat – Sie werden nicht umhinkönnen, mir jetzt zuzustimmen – also das hat einen gewissen französischen Gourmet-Touch. Edel halt.

Die weiblichen Mitglieder meiner Menschenfamilie jammern oft: „Wie werde ich den Speck los?" Pah! Menschensorgen! Mir ist es katzenschnuppe, ob ich drei Kilo zu viel habe oder fünf. Ich habe keine Probleme mit Frühjahrsklamotten, ich trage ab Mai meinen Sommerpelz. Der ist luftig, leicht und dehnbar. Stretch heißt die Zauberformel. Da hat jede Menge Fressen drin Platz.

Im Winter lege ich mir Katzenhaar um Katzenhaar ein dickes Fell zu. Der Schwabbelbauch drunter stört mich nicht im Geringsten. Bauch macht Ansehen, hieß es früher in den Bierbrauerfamilien. Und die waren immerhin die Reichsten im Dorf.

Tizimausi, das ist doch die Katerhöhe!

Wie soll er denn heißen, der Kleine? Es gab heftige Diskussionen zum Thema. Als ob mir nicht jeder Name recht gewesen wäre. Es ist doch so, dass unsereinem die Menschensprache nicht allzu viel bedeutet. Generationen von Bauernhofkatzen hörten und hören auf Mieze, Minka oder Murli. Andererseits: Wenn man die Lebensbedingungen dieser fleißigen Arbeiter, dieser Mäusevertilger und Rattenvertreiber bedenkt, ihren sozialen Status ganz unten in der Hofhierarchie nach Kuh, Schwein und Hund, ihr verlaustes, verflohtes, verwurmtes, verhungertes Dasein, da lobe ich mir doch jene Menschen, die uns füttern und verwöhnen und obendrein mit einem besonders schönen Namen schmücken wollen.

Die Hüterin meiner Katzenfutterdosen hat neben dem Mich-Verwöhnen noch einen Zweitberuf: Sie ist Journalistin und manchmal hat sie auch schon über mich geschrieben. Einmal habe ich ihr sogar die Kolumne weggenommen und eigenpfötig von mir berichtet. Diese literarische Meisterleistung (Copyright Tizian) über mein Almabenteuer mit dem Fuchs dürfen Sie später in diesem Buch auch noch genießen.

Nun, viele Leser haben meiner Zweibeinerin im Laufe der Zeit von ihren kätzischen Mitbewohnern berichtet. Und was sind da nicht alles für hochherrschaftliche Katzennamen darunter, Adelige von und zu, Prinzen und

Prinzessinnen, wie etwa jener Moritz aus dem Waldviertel, der sich bald als Maurice, der Sonnenkönig, der auf dem Sofa residiert, entpuppte. Dazu all die Mädis und Mohrlis, Sindras und Puppis, die Molly, der Florian, die Stupsi, die beiden bürgerlichen Maxi und Mixi, und so weiter und so der Katzennamen fort.

Übrigens nehme ich es neidlos zur Tiziankenntnis: Jedes Samtpfötchen ist der Liebling seiner Familie!

„Sebastian! Er soll Sebastian heißen!" Eines der Zweibeinerkinder wollte diesen Namen. Sebastian war ein wilder Kater gewesen, ein Tier mit räudigem Fell und gutem Herzen. Die Sebastian-Geschichte ereignete sich lange vor meiner Zeit, aber meine Menschen haben oft davon erzählt. Sebastian war auch ein roter Kater. Eines Tages im März saß er auf der Terrasse meiner Menschen und kam ab da regelmäßig zum Fressen. Doch er kam nur einen Sommer lang. Im Herbst erschoss ihn ein Nachbar. Faselte etwas von Erlösung für das Tier und Ansteckungsgefahr für die Menschen. Meine Zweibeiner sind heute noch wehmütig, wenn sie von Sebastian sprechen, obwohl er ihnen gar nicht gehört hatte.

„Nein, keinen Namen aus der Vergangenheit", sagte die Zweibeiner-Mutter. „Das Leben gehört der Zukunft. Der Zukunft mit dem kleinen Kater hier. Also denkt noch ein wenig nach."

Es kam nicht viel heraus beim Nachdenken. Man konnte sich nicht einigen. Beppo, so heißt der Onkel, der würde vielleicht keine Freude haben. Whisky wäre zu abgedroschen. Goliath vielleicht doch zu übertrieben für eine Handvoll Kater.

„Er ist so schön rot. Tizianrot. Wir sollten ihn Tizian nennen."

„Hört, hört! Die Mama macht in Kultur!"

„Tizian war einer der bedeutendsten Maler der italienischen Hochrenaissance. Er war bekannt für sein Rot."

„Uns soll es recht sein."

Mir war es auch recht. Nicht recht sind mir allerdings bis heute diese kindischen Koseformen, die sich meine Zweibeiner zuweilen ausdenken: Tizi, Tizikatzi, Tiziwitschi, Tiziwutschiwantschki. Was immer das heißen mag.

Doch das alles geht noch, gemessen an – halten Sie sich fest, was jetzt kommt! – gemessen an: Tizimausi! Drei Rufzeichen! Welch hochgradiger Blödsinn: Ich bin ein stolzer Kater und man ruft mich Mausi!

Manchmal bin ich für meine Menschen auch schlicht der Tize. Das hat nichts mit diesem Feigenkaffee zu tun (den schreibt man übrigens mit tz), auch wenn meine Zweibeinerin bei Tize gern daran denkt. Es ist einfach üblich in unserer Gegend, männliche Namen auf E zu verballhornen. Aus Paul wird der Paule, aus Matthias der Mote, aus Gottfried der Gote. Selbst bei Familiennamen macht man das: Den Leitner rufen die Freunde Leite, den Bohnstingel Bohne. Und mich eben Tize.

Für ein schnurrfreundliches Tize, welches mich zur gefüllten Futterschüssel ruft, bin ich immer zu haben. Dafür verlasse ich sogar meine Ruheposition auf dem Sofa.

Apropos Ruheposition – diese bezieht sich auf meinen körperlichen Zustand. Was den innerfamiliären Status betrifft, sollte man besser den Begriff Poleposition verwenden. Ich für meine Katerperson liege nämlich immer nur an erster Stelle. Und bleibe dort auch liegen, denke gar nicht daran, für irgendeinen sportlichen Wettbewerb aufzustehen oder gar im Kreis herumzurennen.

In den Herzen meiner Zweibeiner habe ich die Poleposition erobert, ohne mich dafür besonders anzustrengen. Meine Poleposition ist also eine Ruheposition, was auch insofern zutreffend ist, als wir Samtsanftpfötigen die Ruhe über alle Katzenmaßen lieben. Wir sind Leisetreter. Wir hassen Autolärm, Staubsaugerkrach und die schrille Katzenmusik, die aus den Kinderzimmern dröhnt.

Wir Feliden sind Wesen der Stille, Denker, Träumer, Langschläfer. Wir haben uns die Welt auf leisen Sohlen eingerichtet. Ernest Hemingway sagte: „Katzen erreichen mühelos, was uns Menschen versagt bleibt: durchs Leben zu gehen, ohne Lärm zu machen."

Tizian, die Widderkatze

Ich schleiche seit meiner neunten Lebenswoche bei meiner Zweibeinerfamilie durchs Leben. Dabei müsste ich astrologisch gesehen ja springen wie ein Böcklein. Ich bin nämlich eine Widder-Katze.

Die Frau, die meine Katzenfutterdosen heimschleppt, hat ein Büchlein geschenkt bekommen. Das heißt „Auf Samtpfoten durchs Jahr". Darin werden wir Katzen den Tierkreiszeichen zugeordnet. Nicht anders als bei den Menschen, richtet sich das nach dem Geburtsdatum.

Was meine bescheidene Katerpersönlichkeit betrifft, ich sagte es schon: Ich bin eine Widder-Katze. Meine Menschenfamilie meint zwar immer, ich wäre ein verspäteter Aprilscherz, weil ich am 2. April Geburtstag habe – aber so ein Kommentar ist natürlich überflüssig wie nur.

In dem Katzenkalender der Marke „Die Sterne lügen nie" steht über meinesgleichen:

„Eigenwillig und selbstbewusst galoppiert die Widder-Katze durchs Leben, sie strotzt vor Aktivität und Tatendrang (Und da behaupten meine Menschen, ich hätte das Sofa-Dasein erfunden!). Ein drahtiger Körper (Hört, hört – von wegen Hängebauchkater!) verbirgt sich unter zerzaustem Fell. Widder-Katzen brauchen eine starke Hand (Als ob meine starke Pfote nicht reichen würde!) und Menschen um sich, die sie respektieren können, um sich geliebt und geborgen zu fühlen. Sie lieben würziges Fressen (Stimmt, vor allem, viel davon!), sind erfindungsreich, robust und nicht wehleidig und die richtigen Genossen fürs Landleben."

Unter uns gesagt: Ich finde die grobe Zwölfsternzeichen-Unterteilung viel zu oberflächlich. Wir Katzen sind doch lauter individuelle Persönlichkeiten und deshalb müsste es für jede von uns eine eigene Charakteranalyse geben.

Nehmen Sie mich: Widder hin, Widder her – in Wahrheit bin ich unter dem Zeichen des Tizians geboren, mein Aszendent heißt Tizian, und Sonne, Mond und Sterne standen zur Geburtsstunde auf Tizian.

Für mich gibt es kein helio- und kein geo-, sondern nur ein tizianzentrisches Weltbild. Das bedeutet: Ich bin der Mittelpunkt des Universums, alles dreht sich um mich.

Sollte man mich zum wissenschaftlichen Widerruf dieser Tizianthese zwingen, würde ich anschließend zurückmiauen: Und es dreht sich doch alles um mich!

So wie ich denken auch alle anderen Samtpfötler. Jeder von uns ist überzeugt, der Nabel der Welt zu sein. Keine noch so kluge Theorie kann uns vom Gegenteil überzeugen. Die Praxis ist nämlich auf unserer Seite: Wir schnurren ein wenig, und schon holen uns unsere Zweibeiner die Sterne vom Himmel!

Tizian, der Fischerkönig

Da Sie nun mein Geburtsdatum wissen, können Sie es sich ausrechnen: Ich kam im Juni zu meiner Menschenfamilie und dieser Juni damals war der Beginn eines langen, heißen Sommers.

Menschen sind sonderbare Wesen: Sie lieben die Affenhitze, aber sie vertragen sie nicht wirklich und hüpfen deshalb ständig zur Abkühlung ins Wasser. Dort planschen und blödeln sie herum und benehmen sich kindischer als ein Wurf junger Kätzchen.

Wenn die Zweibeiner nass genug sind, legen sie sich zum Trocknen in die Sonne und lassen sich ihr Fell, Pardon: ihre Haut verbrennen. Sie cremen und ölen ihre Bäuche und Rücken, dass es nur so brutzelt. Kaum sind sie ganz trocken und ganz ölig, springen sie wieder ins Wasser und der ganze Unfug beginnt von vorn.

Sommervergnügen nennen die Menschen das. Und sie fliegen sogar Tausende Kilometer, nur um noch mehr Sonne und noch mehr Wasser zu haben. Katzennie und katzennimmer würde unsereins sich so unlogisch benehmen.

Wir Phlegmatiker im Pelz suchen uns an heißen Sommertagen bereits in der Früh ein schattiges Plätzchen, und dort halten wir für mindestens zwölf Stunden Siesta. Ich für meine Tizianperson bevorzuge den Steintrog mit den Zwergkoniferen. Manchmal lege ich mich auch auf den Steinboden unter dem Tischtennistisch. Ich strecke dort alle viere von mir, und sollten Sie zufällig vorbeikommen – bitte stören Sie meine Ruhe nicht! Erwarten Sie von mir kein Ohrwaschelwackeln und kein Schwanzspitzeheben. Ich bin beschäftigt! Mit der wichtigsten Katzensache der Welt – mit dem süßen Katernichtstun!

Der Wahrheit halber muss ich zu diesen Zeilen hier noch einen Nachtrag anfügen. Es sind nämlich nicht nur die Menschen komische Wassertiere. Es gibt auch bei uns Katzen völlig unvernünftige Wesen. Jede Familie, ob Zweibeiner oder Vierbeiner, hat eben ihre schwarzen Schafe. Bei uns Katzen sind das nicht etwa diese hübschen seidenschwarzen Samtpfötchen, die als Glücksbringer vom Freitag, dem Dreizehnten, gelten. Nein, es sind die Türkischen Van Katzen, die unseren guten Ruf der Wasserscheu untergraben, ach was: unterschwimmen! Sie leben in Anatolien, in der Gegend des Berges Ararat, und holen sich ihre Fischmahlzeit schwimmend aus dem Van-See. Brrrr! Mir sträubt sich jedes einzelne Barthaar! Freiwillig in die Fluten! Nicht um die Kralle bringt man mich ins Wasser!

Dabei bin auch ich, so wahr ich Tizian heiße, ein begnadeter Fischer. Ich lebe an einem Fluss, und mindestens einmal die Woche komme ich mit einem Fisch im Maul angetrabt. Wenn die Frau, die meine Katzenfutterdosen heimschleppt, nicht aufpasst, trage ich meine Beute ins Wohnzimmer und verspeise sie dort genüsslich.

Meine Menschen zerbrechen sich dann jedes Mal den Kopf darüber, wie ich zu dem Fisch gekommen bin. Ob ich ihn einem Fischer aus dem Kescher gestohlen, oder doch mit spitzen Krallen aus dem seichten Wasser zwischen den Ufersteinen geholt habe?

Um meine Sicherheit beim Fischen braucht sich

jedenfalls niemand Sorgen machen. Wir Katzen wollen zwar nicht schwimmen, aber wir können es dennoch ganz hervorragend. Wirft uns so ein Lümmel von Menschenkind aus purem Übermut ins Wasser, dann rudern wir hocherhobenen und beleidigten Hauptes zurück ans Ufer. Im perfekten Vierpfotenstil, ganz ohne Training. Wir Katzen sind eben Alleskönner, können sogar schwimmen, obwohl wir das hassen wie die Hundepest!

Der Tag, als abends der Fuchs kam

Das Kapitel Sommer und Wasser hätte ich damit abgehakt. Es gibt schließlich Erfreulicheres. Etwa das Landleben. Genauer: das Leben hoch oben in der Einschicht einer Alm.

Haben Sie noch mein Horoskop im Gedächtnis? Die Widderkatze, war da zu lesen, wäre ein robuster Kumpel fürs Landleben. Das trifft sich gut mit den Vorlieben meiner Zweibeiner. Die übersiedeln nämlich jedes Jahr für ein paar Urlaubswochen auf die Alm. Zu Muh und Mäh, dorthin, wo Fuchs und Hase sich Gute Nacht sagen. Und genau zum Fuchs, zu dem werde ich Ihnen etwas erzählen.

Es war im zweiten Sommer meines jungen Katerlebens. Es ist die Geschichte, die ich auch schon in der Zeitung erzählt habe. Und über die manche lästern, sie bestünde nur aus Angeberei und Übertreibung. Einer entblödete sich auch nicht, zu behaupten, das Ganze wäre einfach nur ein Katzenschmäh. Dass ich nicht miaue! Wissen Sie, was ich denke, wenn ich so etwas höre? Nicht mal ignorieren. Und: Erst mal nachmachen.

Es war der Tag, als abends der Fuchs kam. Ein Urlaubstag wie die anderen zuvor. Eine einsame Almhütte, gut 1500 Meter über der Zivilisation. Kein fließendes Wasser, kein Strom. Eine Gegend, wo die Zirben zum Küchenfenster hereinwachsen und die Rindviecher einen ruhebedürftigen Stubentiger wie mich schon in aller Mäusefrühe mit Kuhglockengebimmel aus den Schnurrträumen wecken.

Dabei habe ich miezemäßige Angst vor Kühen. Meist flüchte ich vor ihnen unters Schindeldach und überblicke die Lage aus sicherer Höhe.

Kater sei Dank, die Kühe verzogen sich bald, an diesem Tag, als abends der Fuchs kommen sollte. Alles ging seinen gewohnten, bedächtigen Gang. Wasser holen von der Quelle. Holz hacken. Feuer machen. Beeren klauben hinter der Hütte. Auf dem alten Eisenherd Essen kochen. Wie zu Urgroßmutters Zeiten abwaschen in zwei Emailschüsseln. Am Nachmittag auf der kleinen Insel im Bachbett faulenzen.

Es sind dies Urlaubstage, an denen ich die Frau, die nie vergisst, genügend Katzenfutterdosen auf die Alm mitzunehmen, überallhin begleite. Sogar über die Steine im Bach tripple ich, nur um an ihrer Seite zu sein. Elegant hebe ich Pfote um Pfote, damit nur ja keines meiner roten Haare nass wird. So viel Nähe stimmt meine Zweibeinerin ganz mild und zärtlich: „Mein lieber kleiner Tizian! Du bist ja anhänglich wie ein Hund!“ So spricht sie mit mir, einem Kater, und sie hält diesen hundehinkenden Vergleich auch noch für ein Kompliment.

Und dann trat an diesem Tag, als abends der Fuchs kam, die Dämmerung ein. Die ganze Familie saß um den Tisch und spielte so ein albernes Spiel mit fünf Würfeln. Nur ich rüstete pflichtbewusst zur Nachtarbeit und trabte auf leisen Pfoten zur Hüttentür hinaus. Es war höchste Zeit, mal wieder ordentlich unter den frechen kleinen Spitzmäusen aufzuräumen.

Plötzlich schlich ein roter Geselle mit buschigem Schwanz über die Lichtung. Rot wie ich – und in meinem Revier! Ein Fuchs. Er kam geradewegs auf unsere Hütte zu. Fuchsalarm! Bei einem Baumstumpf hielt er inne und witterte. In der Almstube war es auch fuchsmäuschenstill geworden. Meine Zweibeiner sahen gebannt zum Fenster hinaus. High-Noon-Stimmung in der Dämmerung. Der Fuchs und ich. Es möge nur keiner das Lied vom Tod spielen.

In diesem Moment kam mein großer Auftritt. Volle Äktschn! Ich sprang hinter dem Holzschuppen hervor, Marke „Angriff ist die beste Verteidigung". Ich machte dem Meister Reineke Beine. Und wie! Ich jagte ihn quer über den Almboden. Wir gaben bestimmt ein prächtiges Bild ab: Vorn der Fuchs, der nicht so recht wusste, wie ihm geschah, dahinter ich, und hinter mir die Großmutter meiner Zweibeinerfamilie. Die war aus der Hütte gestürzt, hatte irre Angst um mich und wollte mich irgendwie schützen.

Angst hin, Angst her, Fuchs hin, Fuchs her, ich tat ja nur meine Katerpflicht. Ich verteidigte unser Almrevier, an diesem Tag, als abends der Fuchs kam.

Ein nasses Fellbündel auf der Terrasse

Wenn wir auf die Alm gehen, ist noch Hochsommer, wenn wir zurückkommen, klopft der Herbst schon an die Katzentür, die meine Zweibeiner für mich ins Kellerfenster geschnitten haben. Traurig genug. Aber dazu kam vor einigen Jahren noch jenes traumatische Herbsterlebnis, das mich, den Kater, der Tag und Nacht vom Fressen träumt, in Hungerstreik treten ließ. Können Sie ermessen, wie elend mir da zumute gewesen sein muss? Wie aussichtslos ich meine Lage einschätzte? Wie ich bangte, meine Poleposition bei den Zweibeinern gegen ein Dasein im Team mit einer zugelaufenen Katze eintauschen zu müssen?

Dabei hätte ich so ein Verhalten von meiner Menschenfamilie nie erwartet. Mich zu haben, das sollte ihr doch mehr als genug sein – ein Tizianleben lang.

Zwei Tage lang hatte es durchgeregnet. Alles war nass und ungemütlich, kein trockener Platz mehr im Garten, nicht mal unter den dichten Hecken. Kühle Nächte und morgens dichte Nebelschwaden vom Fluss.

Am dritten Regentag saß das Kätzchen auf der Terrasse. Ich hatte es schon vorher zwei Tage lang beobachtet. Schließlich entgeht mir nichts in meinem Garten, rund um mein Haus. Es war unter der Terrassenstiege gehockt, verschreckt, verstört und höchstwahrscheinlich ausgesetzt. Sie müssen wissen, wir leben in der Nähe einer Autobahn, die schnurstracks in den sonnigen Urlaubssüden führt. Und es gibt leider immer wieder Menschen, die sich für ein ungetrübtes Ferienvergnügen auf solche Art ihres Haustieres entledigen: Raus aus dem Auto – Gas geben – und auf und davon.

Erst als das nasse Fellbündel schon fast am Verhungern war, fand es den Mut, zu miauen, kläglich, verzweifelt, mit ganz piepsiger Stimme. Ich ließ mich davon nicht rühren, meine Zweibeiner schon.

„Mama, wir haben eine neue Katze!"

Dieses Häufchen Katzenelend, abgemagert bis auf die Knochen – nie wäre ich auf die Idee gekommen, dass meine Zweibeiner, die doch mich Perle von Prachtkatze besitzen, also dass die auch nur einen Blick auf diese Streunerkatze werfen.

Das Katzenkind war vielleicht drei Monate alt, ein Goscherl voller Milchzähne, nein, damit konnte man keine Mäusebeute machen.

Meine Zweibeiner gaben der Katze Futter und die verkroch sich gleich wieder unter der Stiege. Zwei Tage später ließ sie sich das erste Mal hochnehmen. Eine Woche später war aus dem struppigen Etwas eine Schönheit geworden, mit tiefschwarzglänzendem Fell, weißen Pfötchen und langen weißen Schnurrbarthaaren. Sie war eine zärtliche Schmusekatze, die schon schnurrte, wenn man sie nur anredete.

Tizian, sagte ich zu mir, das kann nur böse für dich ausgehen. Meine Zweibeiner dachten nämlich schon über einen Namen für dieses Fräulein Unbekannt nach. Söckchen? Pfötchen? Wie man weiß, ist die Namenssuche das erste untrügliche Zeichen dafür, dass aus einer losen Bekanntschaft zwischen Mensch und Tier eine ernsthafte Beziehung wird.

Ich ignorierte die Zugelaufene so gut ich konnte. Ich blickte durch sie hindurch. Nur wenn sie gar zu keck wurde und mit mir spielen wollte, zog ich ihr mit spitzen Krallen eins übers Fell.

Und dann spürte ich: Die Kleine war drauf und dran, mit Katzensack und Katzenpack bei uns einzuziehen. Als Familienmitglied, mir gleichgestellt mit allen Katzenrechten und wenig Pflichten. Diese Erkenntnis brachte mich völlig aus meiner Mitte. Tagelang hockte ich im hintersten Winkel des Gartens. Ich schmollte, verweigerte Schnurren und Schmeicheln. Wenn man mich streicheln wollte, schnappte ich. Nicht wirklich fest, aber die Warnung war deutlich genug. Und meine Angriffe auf die kleine Konkurrentin wurden immer ernster.

Als das alles nichts nützte, griff ich zu einem Mittel, das man mir nie zugetraut hätte: Hungerstreik! Ich, der nie genug von all den köstlichen Dosen und Schälchen bekommen kann, ich hörte auf zu fressen. Ich saß nur noch beleidigt vor der vollen Futterschüssel und sah meine Zweibeiner mit dem vorwurfsvollen Ihr-wollt-es-ja-nicht-anders-Blick an.

Das wirkte. Sie spürten: Wir müssen uns entscheiden. Sie taten das einzig Richtige: Sie suchten einen guten Platz für die Katze, die in jenem Herbst einfach so aus dem Nichts aufgetaucht war.

Weißpfötchen kam zu lieben Menschen mit Kind, Haus und Garten. Bei uns war es ein flüchtiger Gast gewesen, dort hat es nun sein Zuhause, für immer.

Und ich, ich war erlöst nach drei Tagen Hungerstreik. „Drei Tage war der Tizi krank, jetzt frisst er wieder, Gott sei Dank“, reimten meine Zweibeiner.

Nachts, im Nebel am Fluss

„Nachts im Nebel an der Themse" sangen sie unlängst im Fernsehen. Es war ein alter Krimi in Schwarzweiß: „Der Frosch mit der Maske". An und für sich bin ich kein aufmerksamer Fernsehkater. Ich verbringe überhaupt nur dann einen Abend vor der Glotze, wenn die Frau, die zuvor meine Schüsseln ordentlich gefüllt hat, dort sitzt und ich ihr erlaube, mich auf dem Schoß zu halten und mir den Nacken zu kraulen. Das sind dann oft recht besinnliche Stunden: wir zwei und die Fernbedienung.

Als das Lied vom Nebel und der Themse erklang, wurde meine Zweibeinerin ganz wehmütig. Ich spüre solche Gemütsregungen sofort, aber ich ignoriere sie. Schließlich bin ich eine Katze und kein Psychiater oder Seelentröster.

„Tizi", sagte sie, weil Tizi sagt sie meist, wenn sie ein wenig traurig ist. „Tizi, diese Wallace-Krimis haben sie im Kino gespielt, wie ich noch ganz jung war. Eigentlich zu jung, um reinzudürfen, aber irgendwie habe ich mich durchgeschmuggelt. Und am Abend bin ich dann mit Herzklopfen im Bett gelegen, habe Angst vor jedem Schatten hinter der Tür gehabt, habe mich nicht mal getraut, aufs Klo zu gehen, sondern mich tief unter der Bettdecke verkrochen."

Ich hörte meiner Zweibeinerin ungerührt zu. Solange sie mich hinter den Ohren streichelt, bin ich bereit, zuzuhören. Das ist die höchste Anteilnahme, die ich zu vergeben habe. Wir Feliden sind schließlich keine Hunde. Wir versuchen erst gar nicht, unsere Menschen zu trösten.

Meine Zweibeinerin hatte auch einmal einen Hund, fünfzehn Jahre wurde der alt, ein echter Methusalem. Es war ein Cockerspaniel, semmelblond, mit hängenden Ohren. Er hieß Valerius. Ein Name aus Kunst und Kultur, altrömisch, denke ich. Sie wissen es ja noch von meiner Namensgebung: Meine Zweibeinerin erwählt bevorzugt etwas aus dem Bildungsbereich.

Wenn die Frau, die damals die Hundefutterdosen heimschleppte, weinte oder auch nur traurig war, kam der Hund, legte die Schnauze in ihren Schoß und stupste sie mit der Pfote an: „Ich bin ja bei dir."

Auf solches Mitfühlen muss die Hüterin meiner Futterschüsseln bei mir verzichten. Sorry. Unsereiner ist sich selbst genug. Für fremde Probleme haben wir keine guten Antennen. Wer uns zum Hausgenossen nimmt, sollte schon selbst auf sich schauen können. Hunde sind die Kumpel ihrer Familie, wir Katzen sind Gäste im eigenen Heim. Und so wollen wir auch behandelt werden: aufmerksam, aber bitte ohne uns mit familiären Missstimmungen zu belasten.

Was die Sache mit den Mördern im Nebel, mit Krimi, Einbruch oder Überfall betrifft, da hätte der gute Valerius seinem Frauchen sowieso nicht geholfen. Er war nämlich völlig ungeeignet zum Wachhund. Wer immer zur Tür hereinkam, wurde von ihm schwanzwedelnd begrüßt. Das hätte der Ritter Blaubart persönlich sein können. Valerius erwartete sich von jedem Wurst oder Schokolade, und war bereit, dafür nicht nur seine kleine Hundeseele, sondern ungerührt auch die jedes anderen Familienmitgliedes zu verkaufen.

Meine Zweibeinerin und ihre Vierbeiner – irgendwie ist das eine endlose Geschichte mit stets dem gleichen Thema: Futter. Alle wollen immer nur das eine: fressen.

Aber bitte glauben Sie jetzt nicht, in meiner Zweibeinerfamilie wäre Schmalhans Küchenmeister und unsereiner mit den vier Pfoten egal welcher Herkunft würde kalorienhöchstens einen Bodymaßindex von fünfzehn erreichen.

Weder der nimmersatte Cockerspaniel noch die vielen Samtpfötigen, die im Lebenslauf meiner Menschen verzeichnet sind, mussten je hungern. Auch nicht jene graue Tigerkatze, die, nur aus Haut und Knochen bestehend, als Fräulein Spindeldürr auftauchte und fortan als behäbige Matrone auf der Küchenbank die Tage verschlief. Der Name Fräulein Spindeldürr ist ihr allerdings geblieben. Nomen ist eben nicht immer gleich omen.

Lassen wir das tierische Hungerkarma, das meine Zweibeinerin durchs Leben begleitet. Kommen wir wieder zu Wichtigerem: zu mir.

Und kehren wir zurück zum nächtlichen Nebel am Fluss. Den genieße ich jeden Herbst aufs Neue. Er macht alle Katzen gleich und wir bewegen uns in ihm wie Schemen in einer fast lautlosen Welt.

Die große Freiheit beim Zentralfriedhof

Während im Frühjahr und Sommer die Menschen bis tief in die Nacht hinein am Fluss unterwegs sind, verliebte Pärchen, einsame Mondspaziergänger, Sterngucker, gehören die Ufer im Herbst ab der Dämmerung uns Katzentieren. Manchmal huscht dort oder da eine Ratte über den Radweg oder raschelt ein Mäuslein im Laub. Ansonsten: Funkstille.

Da hocken wir dann: Auf der einen Seite die Tussicats aus den warmen Wohnungen, die für ein paar Stunden Abenteuer schnuppern wollen, auf der anderen Seite die wirklich wilden Artgenossen, solche, für die sich ein Lebtag lang kein heimeliger Herd gefunden hat: die Friedhofsgang.

Bei uns grenzt der Zentralfriedhof gleich an das Überschwemmungsgebiet. Und dort, wo die Toten ruhen, stiftet meinesgleichen Unruhe. Streunerkatzen haben einen Schuppen besetzt, versuchen so, der bittersten Kälte zu entgehen, und werden regelmäßig von einer Handvoll Tierschützern gefüttert. Anderen Menschen ist die Nähe der lebenden Tiere zu den toten Menschen ein Dorn im Auge. „Erschießt doch endlich diese Viecher! Reißt den Schuppen ab!"

Einmal kamen die Tierfreunde mit Katzenfallen, fingen ein Tier nach dem anderen ein, brachten es zum Kastrieren und ließen es danach wieder frei. Das hat nicht viel gebracht. Stets kommen neue herrenlose Katzen dazu, stets gibt es wieder Nachwuchs. Das Katzenelend ist prolongiert.

Dennoch beneiden wir Sofatiger manchmal die wilden Gesellen und träumen uns hinein in ihr Leben. Das mit der großen Freiheit ist nämlich sehr verlockend, wenn man weiß, dass anschließend ans Abenteuer der Marke „Easy-Rider-Cats" die geöffnete Katzentür und die gefüllte Schüssel warten. Und ein warmes Bettchen.

Wir gepflegten Hauskatzen schauen denen von der Friedhofsgang zu, wie sie nächtens die Wildkatze raushängen lassen. Wir werfen scheue Blicke auf den Schwarzen mit dem abgebissenen Schwanz, auf den Grauen mit den zerfledderten Ohren und die Schmutzigweiße, die nur noch ein Auge hat. Preise der Freiheit. Schicksale, von Menschen verursacht. Von Menschen, die einst die Katze aus der Wildnis holten, sie zum Haustier machten und irgendwann die Kontrolle über das Geschehen verloren haben. Der Fuchs sagt zum kleinen Prinzen: „Du bist verantwortlich für das, was du dir zähmst." Die Menschen zähmen Tiere und scheren sich nicht um die Verantwortung.

Aber ich will mich nicht weiter ins Nachdenkliche begeben. Letztlich nehmen wir Katzen das Leben so, wie es kommt. Wir haben keine Wahlmöglichkeit. Und Mitleid ist uns, wie gesagt, sowieso fremd. Sollte also morgen der Graue nicht mehr auftauchen, wird mich das keine Trauerminute kosten. Aber er wird auch keinem Menschen abgehen. Ganz im Gegensatz zu mir. Wenn ich einmal nicht pünktlich heimkomme, sind alle aus dem Häuschen. Dreimal habe ich die Nummer Tizian-ist-abgängig schon gegeben.

„Tizian, wo bist du?"

„Tizian, wo bist du?" „Tizian, komm heim!"

Den letzten Streich in Sachen „Tizian ist unauffindbar" leistete ich mir erst unlängst. Die Sache war zwar zeitlich gut geplant und sollte erzieherische Wirkung zeigen, aber irgendwie ging sie völlig daneben.

Die Frau, deren Aufgabe es, zumindest aus meiner Sicht, ist, vierundzwanzig Stunden am Tag für mein leibliches und seelisches Wohl zu sorgen, musste wieder mal verreisen. Ich merke das, sobald sie ihre Reisetasche aus dem Kasten holt. Sie ist nie lange fort. Ein, zwei Übernachtungen höchstens.

Da der Rest meiner Zweibeinerfamilie inzwischen studien- und arbeitshalber meistens weit weg lebt, hat sich das Leben meiner Dosenfutterschlepperin auf ein Single-Dasein mit Katze reduziert. Auch nicht die schlechteste Wohngemeinschaftsform. Hauptsache, auf mich wird ordentlich geschaut.

In Abwesenheit meiner Zweibeinerin werde ich von der Nachbarfamilie versorgt. Die gehört zur Lady, einer Wohnzimmerschönheit, die ihr krallengepflegtes Leben lang noch nie von der Dämmerung bis weit in die Nacht hinein auf dem Feld vor einem Mäuseloch ausgeharrt hat. Sie ist so ein Igitt-eine-Maus-Typ. Für sie sind die grauen Nagetierchen höchstens Spielzeug. Wobei ich natürlich nicht verschweigen will, dass sie das für mich auch sind, eine Weile lang. Bis ich endlich ansetze zum mäuseerlösenden Nackenbiss.

Die Lady-Zweibeiner schauen gut auf mich. Sie machen das ganz super, allererste Katzensahne. Gibt's nichts zu miauen. Meine Toilette wird sauber gemacht, die Schüssel gefüllt, und ich werde ordentlich gestreichelt – immer mit dem Strich, dazu ein wenig Hinter-den-Ohren-Kraulen.

Was mir allerdings in diesen Zeiten abgeht, da meine Zweibeinerin unterwegs ist, um das Katzenfutter zu verdienen, ist meine persönliche Freiheit. Niemand öffnet mir zehnmal am Tag die Terrassentür, wenn ich rauswill, und niemand öffnet sie geduldig ebenso oft, weil ich schon wieder genug von der frischen Luft habe.

Also beschloss ich unlängst, der guten Frau einen Denkzettel zu verpassen. Ich kam am Morgen ihres Abreisetages einfach nicht heim. Ich hockte beleidigt hinterm Gebüsch und dachte, sie würde sich das mit dem Verreisen schon noch überlegen.

Zwischen Aufstehen, Duschen, Frühstück und Abfahrt kam sie unzählige Male auf die Terrasse. „Tizian, wo bist du?" „Tizian, komm heim!"

Fast wäre ich schwach geworden. Heute weiß ich – ich hätte schwach werden sollen. Aber klug ist man eben immer erst im Nachhinein.

Das Unheil nahm seinen Lauf. Meine Zweibeinerin fuhr weg. Einfach so, jawohl. Zugegeben, sie war traurig, ich habe das an ihrer Stimme gemerkt, als sie mich zum letzten Mal vergebens rief: „Tizi! Tizi! Tizian!"

Ich wusste nicht, dass an diesem Tag beide Menschen der Nachbarsfamilie tagsüber Dienst hatten. Dass sie erst am Abend kommen würden, um mich zu versorgen. Also musste ich elendiglich lang warten. Ich konnte nicht heim zu Sofa und Futter. Ich war gezwungen, im Gebüsch auszuharren. Und das tagsüber! Das ist die Zeit, wo wir Katzen sehr furchtsam sind. Die Zeit, die wir lieber irgendwo verschlafen, am besten im Bett.

Wir Katzen sind Wesen der Nacht. Uns schützt die Dunkelheit. Heller Sonnenschein und keine Fluchtmöglichkeit – das macht uns hilflos und verschreckt.

Und dazu der Hunger! Wir Stubentiger gehen nicht tagsüber auf Vogeljagd oder Fischfang. Selbst die Mäuse wissen, dass wir sie am liebsten in der Dämmerung auf unseren Speiseplan setzen.

So verbrachte ich also einen ganzen Tag im Gebüsch. Nicht gerade komfortabel. Und als endlich, endlich abends unsere Terrassentür geöffnet wurde und die Nachbarin mich rief, lief ich heim, als hätte ich Siebenmeilenstiefeln an den Pfoten.

„Dein Frauerl hat angerufen, dass du abgängig bist. Sie hat sich solche Sorgen gemacht. Jetzt werde ich sie gleich zurückrufen, dass du wieder zuhause bist!"

Die anderen beiden Male, da ich für ein paar Stunden abgängig war, war das auf meine Jugend und Unerfahrenheit zurückzuführen.

Einmal, ich war noch ein halbes Baby, hielt ich den alten Dackel vom nächsten Häuserblock für einen Katzenfresser. Natürlich weiß ich das heute besser. Lachhaft, wie naiv ich damals war. Aber ich hatte eben noch die warnende Stimme meiner klugen Mutter Alice in den Ohren: „Lass dich nicht mit fremden Hunden ein!"

Ich sah den dicken Krummbeinigen um die Ecke kommen und flüchtete. Klugerweise auf den nächsten Baum. Dummerweise kletterte ich viel zu hoch hinauf. Schwindelerregend! Da saß ich nun fest. Herauf war es so leicht gegangen, aber zurück! Brrr. Alles in mir miaute Alarm.

Irgendwie bekam ich dann doch wieder festen Boden unter den Pfoten. Genau kann ich es selbst nicht sagen, wie ich das geschafft habe. Bestimmt büßte ich damals eines meiner neun Katzenleben ein. Ab da waren's eben nur noch acht. Und mit denen lebte es sich fortan auch noch gut.

Das dritte Mal, als ich kurzfristig abgängig war, ist mir das – Pfote aufs Herz – einfach passiert. Ich übersah schlicht die Zeit zum Heimgehen. Jugendlicher Leichtsinn. Gedankenlosigkeit. Ich war fasziniert von Vogelgezwitscher und Mäusetanz. Der Biotisch für meine kulinarischen Neigungen war reichlich gedeckt. Ich wollte nicht wahrhaben, dass die Nacht schon fast um war. Die Lerche war's und nicht die Nachtigall – man kennt das ja. Plötzlich waren viele fremde Menschen unterwegs, eilten an mir vorbei, der ich nur wenig geschützt unterm Gestrüpp saß. Zitternd. Es möge mich nur niemand bemerken!

Bis ich mir endlich ein Herz fasste und heimtrabte – in ganz kleinen Etappen, immer nur kurz ungeschützt, dann wieder ins Gebüsch, volle Deckung. Habe Stunden gebraucht für die Entfernung von ein paar hundert Metern.

Zeugungsfähigkeit ade

Im vorletzten Kapitel habe ich Ihnen von den Stadtstreunerkatzen erzählt. Von der Friedhofsgang.

Mein Vater war auch ein Streuner. Allerdings einer der ländlichen Art, einer jener wilden, unkastrierten Bauernhofkater, die kilometerweit rennen, nur um bei einer rolligen Katzendame Casanova zu spielen. Kaum haben sie ihre amourösen Pflichten erfüllt, sind sie auch schon wieder fort, unterwegs zur nächsten und übernächsten Kätzin. Und Tierschützer können dann schauen, wo sie ordentliche Plätze für die vielen unerwünschten Katzenbabys herbekommen.

Sicher wäre ich auch so wie mein Vater geworden, hätten nicht die Menschen, bei denen ich lebe, beschlossen, mich kastrieren zu lassen. Es hat zwar eine Gegenstimme zu dieser Operation „Zeugungsfähigkeit ade“ gegeben. Einer hat den Verlust meiner Männlichkeit heftig bedauert. Er wurde vom Familienrat überstimmt. Zu Ihrer Beruhigung: Ich habe das Ganze nicht wirklich mitbekommen.

Man packte mich im zarten Alter von sieben Monaten in den Katzenkorb, trug mich ins Auto und fuhr mit mir an einen Ort, wo es steril und aufregend zugleich roch, wo es blitzte vor Apparaturen, und Menschen in weißen Kitteln beruhigend auf mich einredeten: „Braver Tizian, lieber Tizian, ist gleich alles vorbei.“ An mehr kann ich mich nicht erinnern. Man hat mich mit einer langen spitzen Nadel ins Fell gepiekst, natürlich ohne mich vorher um Erlaubnis zu fragen, und ab da weiß ich von nichts mehr. Ich muss wohl stundenlang geschlafen haben. Ich war im Land der schönsten Katzenträume. Schließlich wachte ich auf und hatte nur einen einzigen Gedanken: Hunger! Dieser Gedanke ist mir treu geblieben, all die Jahre. Davon wird hier noch öfter die Rede sein. Von diesem Damoklesschwert in Dosenöffnerform, das über meinem Leben baumelt: Bekomme ich wohl genug zu essen? Oder muss ich spätestens in drei Stunden verhungern?

Heute jedenfalls, als kastrierter Kater, bin ich rundum glücklich und zufrieden. Ich lebe wie Garfield auf dem Sofa, mir geht nichts ab, wirklich nicht. Meine Hormone zwingen mich nicht, mich nächtelang durchs Viertel zu raufen. Ich markiere nicht alles rundum mit diesem übel riechenden Drüsensekret, auf das meine unkastrierten Geschlechtsgenossen so stolz sind.

Im Gegenteil: Ich dufte richtig, so etwa nach trockenem Heu. Die Jüngste meiner Menschenfamilie steckt oft die Nase tief in mein Fell und sagt: „Tizian, du riechst ganz wunderbar!“

Tizian im Wilden Westen

Meine persönliche Katerhochachtung gilt den Fernreisenden unter uns Vierpfötigen. Nun, ich denke dabei nicht an Übersiedlungen der Art „Rein in den Katzenkorb und ab ins Auto oder Flugzeug“, beschützt, gehätschelt und umsorgt von der Menschenfamilie, der wir erlauben, uns zu verwöhnen. Ich spreche von den letzten richtigen Abenteurern unserer Spezies, von den Weltentdeckern und Umgebungserkundern, die ihre Neugier hunderte oder gar tausende Kilometer weit weg führt.

Lesen Sie einmal aufmerksam den Chronikteil Ihrer Zeitung. Immer wieder werden Ihnen Meldungen wie „Katze als blinder Passagier auf Hochseedampfer“ oder „Kater im Ladegut quer durch Amerika transportiert“ unterkommen.

In „Cats“, diesem Seelenverständnisstück für Miez & Co., singt Skimble von der Eisenbahn (das ist sein vollständiger Name, das „Von der Eisenbahn“ ist quasi sein Felidenadelstitel), der Kater vom Nachtexpress:

„Und falls es euch interessiert,
wer die Oberaufsicht führt,
hier im Zug, dann seht auf mich.
Von dem Führer in der Lok
zu den Schaffnern beim Tarock.
Wer den Überblick behält, bin ich.“

Ja, das ist der Duft der großen weiten Welt. Vogelfrei, ach was, katzenfrei bis zum Abwinken. Bis ans Ende der Stadt, bis ans Ende des Kontinentes. Bis ans Ende der Träume. Denn wenn wir es schon nicht erleben können, träumen wird man doch noch dürfen. Wenn so ein Stubenabenteurer wie ich am Sofa liegt, alle viere von sich gestreckt, sagen die Zweibeiner, ich wäre faul. Fauler Tize? Aber nein! Ich träume, und dabei bin ich so beschäftigt und fleißig wie zehn Skimbles zusammen.

Ich springe in den Güterwagon, den vom Gleis sieben, da geht die Post in der Abenddämmerung ab. Der ist schlaraffenlandrandvoll mit Getreide und daran tun sich die kleinen Mäuse gütlich, an denen wiederum ich mich gütlich tun kann.

Ich miaue mir vergnügt Countrysongs, bin so was wie der Johnny Cash im Katerland, oder doch besser Simply Red, schließlich habe ich den schönsten roten Pelz, den man sich nur vorstellen kann. Auf in den Wilden Westen! Singin' ayay yippie yippie yea!

Ich liebe das monotone Geräusch der Räder auf den Schienen. Ich schlafe ein in meinem Schlaf. Ich bin glücklich. Ich bin ein mutiger Kater.

Ich wache wieder auf, im Schlaf. Ich luge durch die Ritzen des Wagons. Eine endlose Ebene zieht vorüber. Felder, Wiesen, darauf Pferde und Kühe. Ein weiter Horizont. Die ganze Nacht, den ganzen folgenden Tag geht das so. Ich habe alle Zeit zum Nichtstun. Dann kommt die Dämmerung. Das Rattern wird langsamer. Ein letztes Rtt-Rtt, ein letztes Pft-Pft. Der Zug hält. Irgendwo in Idaho, oder so wo.

Ich schleiche hinaus in die Nacht. Ein verschlafenes Städtchen, wie ich es aus den Wildwestfilmen kenne. Ein wenig stören mich die Pferde. Diese Riesendinger parken vorm Saloon, während die Cowboys drin mit zwielichtigen Gestalten Poker spielen. Daneben stehen leichte Mädchen mit geschnürten Stiefletten, fünf Kilo Spitze am Unterrock und einem verboten tiefen Dekolleté und machen dem Gewinner eindeutige Avancen.

Ich trabe weiter auf geschmeidigen Pfoten. Ich spüre es in meinem Katzenblut: Heute wird es noch wild zugehen im Wilden Katzenwesten.

Bei solchen Traumpassagen zucke ich aufgeregt mit den Schurrbarthaaren. Ich schnalze regelrecht mit der Zunge. Und die Frau, die für meine guten Träume zu sorgen hat (man kann nämlich nur mit gut gefülltem Bauch gut träumen), streicht mir übers Fell. Doch sie reißt mich nur kurz heraus aus Wildwest. Ich gähne, und schon tauche ich wieder ab.

Billy the Kid, in meinem Fall: Billy the Cat, steht mir ins Haus. Ich fühle es. Irgendwo hier muss er sein Revier haben, dieser Möchtegern-Bandenchef der Katergang von Sun Valley.

Ich umrunde die örtliche Bank. Keine Duftspur von Billy the Cat. Das wundert mich nicht. Was könnte denn unsereiner mit Papiergeld anfangen? Roh fressen? Pfui! Kochen? Noch mehr pfui! Wir Katzen haben keine Beziehung zum Geld. Deshalb haben wir uns in der Geschichte des Kapitalismus auch nie die Pfoten mit Geldwäscherei schmutzig gemacht. Zinseszins? Das ist ja gleich doppelt nichts zum Fressen. Katzenbarthaarschnuppe ist uns der Zaster.

Ich schleiche zum Gemeindekotter. Es riecht nach billigem Fusel und selbst gedrehten Glimmstängeln. Puuh, das ist nichts für edle Katzennasen. Nichts wie weg hier.

Weiter zum Store, wo Old Sam, der Ladeninhaber, Wurst und Käse lagert (Ich liebe Emmentaler und

Gouda!). Dort nehme ich die Fährte von Billy the Cat und seiner Gang auf. Penetrant hat er rundum sein Revier markiert. Höchste Eisenbahn, dass ihn mal einer wie ich in die Schranken weist, ihm die Weichen zur Abfahrt stellt und die Rangordnung klarmacht: Ich bin der Größte, auch in Idaho. Selbst im Traum. Oder sollte ich ehrlichkeitshalber sagen: grad im Traum?

Ich schnuppere. Ich werde stocksteif. Gelbe Augen funkeln in der Dunkelheit – es ist Billy the Cat! Ich funkle mit meinen grünen Augen zurück, ich der Rivale!

Billy hat orangefahles, struppiges Fell. Und er stinkt wie ein alter Dachs. Ich kräusle im Schlaf die Nase. Gott, wie eklig. Wo ich dagegen Stunden um Stunden mit meiner Fellpflege zubringe.

Das ist er also, der Held, der Hero, der gefürchtetste aller Kater im Wilden Westen. Dass ich nicht miaue! Meine Erstarrung löst sich. Ich strecke mich und mache den imposantesten aller Katzenbuckel, den Billy und seine verlauste Bande je gesehen haben. Ich lege die Ohren an und stelle mein Rückenhaar so senkrecht auf, dass man mich für Siegfrieds Drachen halten könnte.

Aber natürlich gehört Siegfried in die Nibelungensage und hat nichts im Wilden Westen zu suchen. Ich träume hier ja nicht vom Rhein, sondern vom Snake River. Bleiben wir original.

Es ist Katzen-High-Noon um Mitternacht. Irgendwo in Idaho.

Billy the Cat und Tizian der Kater. Der Räudige aus den Rocky Mountains und der Mutige aus dem Alpenland.

Wer wird die besseren Nerven haben? Und wer die schnellere Kralle? Wer wird Sieger sein? Wem wird die schöne Mary mit den weißen Pfoten ihre Gunst schenken? Mit wem wird sie anschließend in der tiefschwarzen Nacht verschwinden, zur Siegerehrung der amourösen Katzenart?

Ich werde siegen. Ich zweifle keinen Augenblick daran. Denn wir Kater zweifeln nie an uns. Solchen Seelenkram wie mangelndes Selbstbewusstsein kennen wir Minitiger nicht.

Vor Aufregung zuckt mein Körper im Schlaf. Ich hänge schon halb über der Sofakante. Meine Vorderpfoten treten ins Leere. Ich bilde mir ein, dass ich knurre wie ein Löwe.

„Geh, Tizischatzi, du grunzt wie ein Schwein. Und gleich wirst du am Boden liegen.“ Meine Zweibeinerin holt mich zurück aus dem Land der unbegrenzten Möglichkeiten, kurz vor der alles entscheidenden Szene: Billy oder ich!

Ich bin der Frau nicht böse. Ich muss das Ganze nicht zu Ende träumen. Ich weiß ohnehin, wie es ausgegangen wäre. Sie doch auch, liebe Leserschaft! Oder gibt es irgendwo irgendjemanden, ob in Idaho oder sonst wo, der es wagt, an meinem Sieg zu zweifeln?

Hauptsache, meine Futterschüssel ist gut gefüllt, mit Fleisch. Sonst träume ich das nächste Mal von der Mongolei und den Tartaren, die für mich den Tafelspitz unter dem Sattel weich reiten.

Frech wie Oskar

Sie haben es im vorigen Kapitel gelesen – unser Katzenleben ist nie langweilig. Wenn es sein muss, machen wir uns die Abenteuer selbst – im Traum. Die sind um nichts schlechter. Denn Schlafen ist die Hauptbeschäftigung in unserem Leben, in allen unseren neun Katzenleben. Wir verbringen täglich bis zu 18 Stunden in Morpheus' Armen. Dieser griechische Gott des Traumes weiß uns sanft zu wiegen, schließlich ist er der Sohn des Schlafgottes Hypnos. Und sein griechengöttlicher Bruder Phantasos sorgt für die phantastischen Träume.

Aber denken Sie jetzt bitte nicht, ich hätte solchen Rivalenstorys wie jener mit Billy the Cat in echter schlafloser Katernacht nichts entgegenzusetzen.

Vor kurzem erst hatte ich diese furchtbare Geschichte mit dem Kater von (fast) nebenan durchzustehen. Sie wissen doch, ich kann nicht anders: Ich muss mein unumschränktes Herrscherrecht über unseren kleinen Garten und die Terrasse verteidigen.

Eine Zeit lang war Ruhe im Revier. Meine unmittelbare Nachbarin, die modeldünne Lady und ich, wir haben uns arrangiert. Frieden auf der ganzen Linie. Doch dann kam Oskar! Jaja, Sie haben schon richtig gelesen: Oskar! Das klingt schon nach Glamouranspruch.

Oskar ist kleiner als ich, natürlich auch lange nicht so schön wie ich. Aber er ist unkastriert. Das ist ein großer

Vorteil im Kampf der Katergiganten. Das erste Mal tauchte er hier mit braver Unschuldsmiene auf. Spielte den Naiven bis ins letzte Schnurrbarthaar. Und hatte dabei nicht mehr und nicht weniger vor, als mir meinen Platz streitig zu machen.

Oskar ist rot und weiß. Allein schon diese duale Farbkombination! Als ob er sich nicht entscheiden konnte. Ich bin rot. Ausschließlich rot. Tizianrot. Das beweist Charakter.

Dieser Farbenmischling saß also immer wieder mal in der Dämmerung bei uns auf der Terrasse und glotzte (verzeihen Sie, aber ich muss einfach ein solch derbes Wort verwenden) zu uns ins Wohnzimmer herein.

Ich bekam sofort Magenschmerzen der heftigen Art. Hat er denn gar keinen Anstand, dachte ich. Weiß er denn nicht, dass Herrentiere wie meinereiner ihr Gebiet niemals teilen?

Und dann der Oberhammer! Die Frau, die brav meine Katzenfutterdosen heimschleppt, erblickte den Rotweißen, verfiel augenblicklich in Begeisterung und säuselte: „Ja, was haben wir denn da für ein entzückendes Kätzchen auf der Terrasse?"

Die Wortwahl („entzückend" für eine andere Katze als mich!), der honigsüße Tonfall – nein, das wollte ich nicht einfach so hinnehmen. Ein wenig abwarten und leckere Katzenmilch trinken – die Stunde der Rache würde schon bald kommen.

Anfangs hielt Oskar meine Drohgebärden für Spielereien. Und wurde immer frecher. Frech wie Oskar ist eine Redewendung, die in meiner Menschenfamilie verwendet wird. Die Sache begann zu eskalieren. Oskar nahm Platz auf meiner Gartenkiste unter dem Blumentisch, er beschnupperte unsere Thujen, er legte sich auf das, auf mein (!) sonnenwarmes Fensterbrett, er markierte unser kleines Blumenbeet.

Das reichte! In dieser Nacht, nachdem Oskar versucht hatte, auch duftmäßig bei uns den Ton anzugeben, habe ich ihm so richtig gezeigt, wo der Tizian seinen Mut herholt.

Es gab einen kurzen und heftigen Kampf. Wir fauchten uns an, wir schlugen uns mit spitzen Krallen ins Gesicht und versuchten die Augen des Gegenübers zu treffen. Schließlich verbissen wir uns ineinander und flogen als rot-weiß-rotes Katzenknäuel gegen die Terrassentür. Das Glas schepperte. Wir stießen tiefe kehlige Kampflaute aus. Alles andere als schöne Katzenmusik in tiefschwarzer Nacht.

Wir kämpften laut und wild. Meine Zweibeinerin fuhr erschreckt hoch. Sie hatte tief geschlafen. Menschen haben nämlich die ungewöhnliche Angewohnheit, bei Tag wach zu sein und bei Nacht zu schlafen. Ja, sie schlafen, wenn es finster ist und für uns Katzen der Tag erst so richtig beginnt.

Sie dachte: Ist das ein Traum?

Es war kein Traum. Oskar und ich gingen wie Furien aufeinander los. Mein Ohr war eingerissen, meine Schnauze blutete. Aber ich war so wütend, dass ich keinen Schmerz verspürte.

Die Frau öffnete die Terrassentür: „Tizian, hör sofort auf! Komm herein! Lass das!“ Sie schrie richtig. Mit mir! Als ob ich etwas dafür könnte.

Oskar hatte sich augenblicklich in der Dunkelheit verdrückt. Ich hatte das Gefühl des Siegers. Es sollte mich nicht täuschen. Niemals mehr setzte Oskar seine Pfoten in mein Revier. Seither schleicht er außen vor – wie meine deutschen Katerkollegen so sagen. In Wien heißt das: Ich habe dem Oskar gezeigt, er möge sich schleichen. Und er hat sich geschlichen.

In dieser Nacht begutachtete meine Zweibeinerin mein verletztes Ohr, tupfte mir das Blut von der Nase, strich mir über den Kopf und kraulte mir das Kinn. Ich weiß bis heute nicht so recht, ob sie nun stolz auf mich war oder ärgerlich. Ob sie echt besorgt war wegen meiner Blessuren. Sie murmelte zwar etwas in der Art wie „Du Raufhansl, du“, aber solch unqualifizierte Kommentare überhöre ich prinzipiell.

Samtpfoten brauchen keine Katzen-Nanny

Die Frau, deren Lebensaufgabe (wie ich bescheiden meine) ich zu sein habe, ist sehr katzenlebensklug. Für mich zählt das mehr, als wenn sie Einsteins Relativitätstheorie erklären könnte.

Warum ich finde, dass meine Zweibeinerin klug ist? Sie hat noch nie wirklich mit Nachdruck versucht, mich zu erziehen. Darum.

Wir Katzen eignen uns nicht zum Erzogenwerden.

Es soll zwar hin und wieder dressierte Katzen im Zirkus geben, aber ich glaube, das ist mehr ein Werbegag. Das erscheint mir so suspekt wie ein Flohzirkus. So etwas kann doch nicht funktionieren.

Wer uns Katzen seinen Willen aufzuzwingen versucht, wird immer den Kürzeren ziehen. Und zwar deshalb, weil wir Schnurrpfötchen schon von Natur aus gut erzogen sind. Ein wenig Feinschliff gibt uns unsere Katzenmama in den ersten Lebenswochen. Die gute Katzenkinderstube sozusagen. Den Rest haben wir in den Genen.

Wenn man uns einmal das Katzenklo zeigt, finden wir in Zukunft schlafwandlerisch den Weg dorthin. Nur einmal musste mich meine Katzenmama Alice am Nackenfell zum Katzenstreu tragen, ab da wusste ich, was Sache ist.

Natürlich ist es auch Sache unserer Menschen, dieses stille Katzenörtchen schön sauber zu halten. Es ist ein gegenseitiges Hygieneabkommen. Ein einziges Mal in meinem Leben habe ich mein kleines Geschäft, da in meiner Toilette das Streu schon ganz verklumpt war, davor erledigt. Das hat mich schwer unglücklich gemacht.

Die Frau, die die schweren Säcke mit dem Katzenstreu heimschleppt, hat sich auch gleich ordentlich bei mir entschuldigt. Und ich habe ihr großzügig verziehen. Es sollte nie wieder vorkommen. Sie hat ihre Lektion gelernt.

Sie sehen schon, eigentlich sind wir es, die die Menschen erziehen, nicht umgekehrt.

Dass man nichts vom Tisch stehlen soll, diese Gute-Benimm-Regel steht nicht bei uns im Katzen-Schäfer-Elmayer (für meine deutschen Freunde: das kann man nicht im Katzen-Knigge nachlesen). Wir sind Raubtiere. Würden wir draußen in der Natur erst überlegen, ob wir bei den kleinen grauen Mäusen zuschnappen dürfen oder nicht – wir wären längst verhungert.

Lassen unsere Menschen also unvorsichtigerweise den Schinken unbeaufsichtigt auf dem Frühstückstisch stehen, dann dürfen sie sich nicht wundern, wenn wir ihn als unsere Beute betrachten. Und verschlingen. Merke: Nur selber essen macht satt.

Auf diese Weise habe ich schon so manch Leckeres ergattert.

Besonders liebe ich Tiefkühlfisch. Meine Zweibeinerin lässt ihn vor dem Braten immer etwas antauen. Wehe, sie verlässt dann, und sei es für noch so kurze Zeit, die Küche. Das Fischbuffet ist dann für mich gedeckt. Nicht nur einmal hat mich meine Zweibeinerin mit einem großen, rohen Zanderfilet im Maul erwischt. Da knurrte ich jedes Mal wie ein Wolf.

Das Jagen kann man uns Stubentigern eben nicht aberziehen. Die Menschen müssen sich selbst Ordnung anerziehen: Nichts Fressbares herumstehen lassen, das uns verlockt.

Und obendrein sind wir Katzen, was das Essen betrifft, ein wählerisches Völkchen.

Zugegeben, es gibt unter uns Miezen viele arme Streunerkatzen, wie die Friedhofsgang, von der ich Ihnen schon erzählt habe. Diese verhungerten Tiere sind für jede Art von Futter dankbar. Es ist in der Katzenwelt nicht anders als in der Menschenwelt – auf der einen Seite Hunger und Verhungern, auf der anderen Überfluss.

Wir Vierpfötler, die wir in geordneten familiären Verhältnissen leben, wir werden im Laufe unseres Lebens immer wählerischer. Vielleicht hängt das auch mit dem Älterwerden zusammen. Früher einmal habe ich so gut wie jedes Dosenfutter gefressen. Dann begann ich mich nach und nach auf bestimmte Marken und da wieder auf bestimmte Gerichte einzugrenzen.

Nein, es sind nicht mal die ganz teuren Schälchen. Ich liebe Durchschnittsfutter, aber halt nur bestimmte Sorten. Je älter ich werde, desto einseitiger.

Oft sagt meine Zweibeinerin zu mir: „Tizian, wir werden uns immer ähnlicher. Ich frühstücke seit Jahr und Tag die gleichen Sachen. Ich koche mir immer nur bestimmte Gerichte. Und wenn ich auswärts esse, bestelle ich immer das Gleiche. Meine Essensgewohnheiten werden immer einseitiger.“

Einmal erzählte sie mir von einem österreichischen Kaiser anno Katzenschnee, der hätte immer nur gekochtes Rindfleisch gegessen (eh nicht schlecht), und von ihrem Onkel, der fast neunzig wurde und die letzten drei

Jahrzehnte seines Lebens jeden Tag in der Früh zwei Semmeln mit Frischkäse und Brombeermarmelade gegessen hat.

Vor einiger Zeit war meine Zweibeinerin für ein paar Tage im Spital. Ich liebe solche Abwesenheiten nicht. Sie finden mich egoistisch? Sie haben Recht. Aber ich kann nicht anders – ich bin ein Gewohnheitstier. Alles soll stets seinen üblichen Pfotengang gehen.

Damals versorgte mich die Jüngste meiner Menschenfamilie. Sie war eilends angereist, ihrer Mutter wegen, mich zu versorgen war nur die Zugabe. Und tatsächlich hockte sie die meiste Zeit im Spital bei meiner Zweibeinerin, anstatt mir daheim das Nackenfell zu kraulen.

Die Jüngste ging auch einkaufen. Hauptsächlich Katzenfutterdosen. Meine Zweibeinerin würde sich nämlich nach ihrem Spitalsaufenthalt schwer tun, kiloweise mein Futter heimzuschleppen. Sie gab genaue Einkaufsanweisungen, was ich fresse und was nicht.

Doch prompt fanden sich unter den dreißig Dosen, die das brave Kind heimbrachte, fünf der Art, die ich nicht riechen kann.

„Weißt du, Mama, die sind im Regal so nahe beieinander gestanden. Aber dafür werde ich dir zeigen, wie ich diesen verwöhnten Kater erziehen werde. Er kriegt einfach nichts anderes. Ich beginne gleich morgen mit einer von den ‚falschen' Dosen. Du wirst sehen, Hunger ist der beste Koch!"

„???!!!"

„Ja, Mama, wart's nur ab!"

Angeblich soll meine Zweibeinerin bei diesen Worten ihres geliebten Nesthäkchens trotz beträchtlicher Operationsschmerzen hintergründig gelächelt haben.

Sie hatte allen Grund gehabt, so zu lächeln.

Wer der Herr der Futterschüssel ist, was da hineinkommt, und was ich willens bin, zu verzehren – das bestimme immer noch ich.

Ein paar Tage später hat die junge Dame die noch geschlossenen vier Dosen der für mich ungenießbaren Art wieder eingepackt, den Kassazettel dazu, und hat sie ins Geschäft zurückgebracht. „Bitte, darf ich die umtauschen? Unsere Katze frisst diese Sorte nicht." Sie durfte. Auch ich habe ihr die ganze leidige Angelegenheit gütig nachgesehen. Jedenfalls weiß sie nun: Es ist sinnlos, uns Samtpfötchen erziehen zu wollen. Wir brauchen keine Katzen-Nannys.

Meine Zweibeinerin hat solch plumpe Erziehungsversuche jedenfalls schon lange aufgegeben.

Schleckermäulchen Tizian

Sie haben es ja im vorigen Kapitel gelesen: Beim Essen bin ich heikel. Und ich habe wesentlich mehr Vorlieben, als nur die Dosen, Schälchen und das Trockenfutter der vereinigten Katzenfutterhersteller.

Ich bin sehr für Frischkost, Rohkost, roh und ungekocht, absolut nicht vegetarisch.

Wenn ich Ihnen hier davon erzähle, bin ich natürlich in einem gewissen Zwiespalt. Ich gehe davon aus, dass Sie in mir ein süßes rotes Kätzchen sehen. Einerseits zu Recht. Doch zwei Katerseelen wohnen, ach, in meiner Brust – und keine will sich von der anderen trennen. Mich muss man schon so nehmen, wie ich bin. Wollte ich die andere Seite, die nicht süße, die raubtierhafte verleugnen, müsste ich Sie anlügen. Ich müsste die Unverschämtheit haben, zu behaupten, nie und nimmer einem zarten Vögelchen ein Federchen und einem knopfäugigen Mäuschen ein Härchen krümmen zu können.

Den Jagdtrieb hat mir meine Mutter Alice schon in die Kätzchenwiege gelegt. Sie war eine rotgoldene Tigerschönheit mit seidenweichem Fell und glasklaren Augen, war sanft und mutig zugleich. Einmal trug sie den Menschen, bei denen sie lebte, eine Blindschleiche ins Wohnzimmer, legte sie auf den Teppich vor dem Fernseher und wartete auf ein ordentliches Lob. Rückenstreicheln, Ohrenkratzen oder so.

Aber eigenartigerweise bekam die Frau des Hauses einen hysterischen Schreikrampf, und der Herr des Hauses musste ganz mutig sein und das Echsentier zur Tür hinausbefördern.

So sind sie, die Menschen. Man kann es ihnen einfach nie und nicht recht machen.

Aber ich glaube, die Katzenwahrheit ist den Menschen zumutbar. Deshalb mache ich aus meinem Herzen auch keine Mördergrube und gestehe, Pfote auf selbiges (na aufs Herz natürlich): Was meine Essensvorlieben betrifft, bin ich ein ziemlich schlimmer Finger. Besser: eine schlimme Kralle. Ich liebe Mäuse, Ratten und Vögel. Ich habe schon mal Fledermäuse heimgebracht und, wie bereits erwähnt, Fische. Fische liebe ich ganz besonders, egal ob fangfrisch oder tiefgekühlt. Die größte Niederlage diesbezüglich musste ich bei den Goldfischen meiner Menschenfamilie einstecken. Der jüngere Sohn des Hauses bekam ein Aquarium. Sehr gut, dachte ich, als er damit anrückte, brav, wie der sich um mein Futter kümmert.

Doch ich lag ganz und gar schief mit meinem Denken. Die Goldfische waren – stellen Sie sich das nur vor – sie waren nicht für mich! Nicht zum Fressen! Sie waren zur Erbauung des jungen Mannes. Wer hat je schon etwas Blöderes gehört. Diese Futterverschwendung. Lange Zeit habe ich vergebens versucht, das naturgewollte Gleichgewicht zwischen Kater und Goldfischen wieder herzustellen. Das besteht schicksalsbestimmt darin, dass der Vierpfötige die stummen Flossenträger frisst.

Es ist mir nicht gelungen, die Goldfische zu erwischen. Meist ließ man mich erst gar nicht in die Nähe des Aquariums. Der junge Goldfischbesitzer hatte nämlich die Angewohnheit, sich stundenlang in seinem Zimmer einzusperren. „Keep out!“ Und wenn er es verließ, blieb die Tür wiederum fest zu. Teenagerbude. Zutritt für alle verboten. Auch für mich. Ich war empört. Ich, der Tizian, weggesperrt von den Goldfischen.

Manchmal gelang es mir, für kurze Zeit ins Goldfischzimmer zu gelangen. Meist unter Aufsicht. Da saß ich dann vor der Verlockung in Gold. Die Fische schwammen maulend hinter dem Glas auf und ab. Sie blickten naiv in meine Raubtieraugen. Sie taten gar so, als wäre ich kein gefürchteter Fischefresser. Sie hatten keinen blassen Goldschimmer davon, welche Gefahr ich für sie bedeuten könnte.

Das Aquarium war so platziert, dass es mir unmöglich war, hineinzupratzeln. Ich kam mir vor wie jener Esel, dem man ein Büschel duftendes Gras an einem Stecken vor die Nase bindet. Und der Arme rennt und rennt dem Büschel hinterher und erwischt es doch nie.

Nun, so blöd wie der Graue war ich nicht. Ich hatte es bald kapiert: Da geht nichts. Allerdings: Hätte man mir nur eine einzige ungestörte lange Nacht gegeben (Tizian allein im Goldfischzimmer!), ich hätte für Überraschung gesorgt. Das dürfen Sie mir glauben! Mit solchen Leckerbissen vor der Nase, da wäre mir schon was eingefallen. Projekt Goldfisch, koordiniert und knallhart durchgezogen. Schließlich handelte es sich ja nur um ein kleines Aquarium. Und es stand sehr nah an der Regalkante. Auch möge man meine Katerkräfte nicht unterschätzen …

Besonders empört hat mich an der Sache, dass sogar Geld für das Futter der Fische ausgegeben wurde. Familienfinanzpolitisch betrachtet, der blanke Unsinn. Hätte man mich nur machen lassen. Der Spuk wäre in zwei Minuten vorbei gewesen, ich fürs Erste satt und die Haushaltskassa vor nutzlosen Ausgaben verschont geblieben. Doch wer soll die Menschen verstehen? Wir Katzen nicht. Wir müssen sie halt nehmen, wie sie sind. Und wenn es sein muss, sogar mit Goldfischen im Glas.

Einmal habe ich meiner Familie einen Maulwurf zur Dekoration ins Vorzimmer gelegt. (Maulwürfe schmecken uns Katzen nicht. Die sind uns irgendwie zu erdig. Die jagen wir nur, aber fressen sie nicht.) Doch diese Ignoranten haben immer nur gejammert: „Der arme Maulwurf Grabowski, der arme!“

Die Geschichte mit den Regenwürmern will ich hier nicht weiter breittreten. Ich erzähle Ihnen lieber davon, dass ich neben Käse eine weitere große Vorliebe habe: Ich bin verrückt nach Biskuit. Kaum kommt es heiß aus dem Rohr, schleiche ich auf leisen Tizian-Pfoten um die Kuchenform. Sobald es abgekühlt ist, muss meine Familie die Biskuitherrlichkeit unter strenger Aufsicht halten. Mehr als einmal ist es mir nämlich schon geglückt, den Tortenrand mit spitzen Katerzähnen anzunagen. Aber glauben Sie, die Frau, die meine Katzenfutterdosen heimschleppt, hätte dafür Verständnis gehabt? Hätte gesagt: Fein Tizian, dass es dir so gut schmeckt?

Dabei wäre es doch so einfach: Ich knabbere die Torte rundum an, die Menschen dürfen sich den Rest teilen. Großzügig von mir, finden Sie nicht?

Als besonders tizianverachtend empfinde ich es, wenn meine Zweibeiner mit duftenden Tüten zur Tür hereinkommen. Das heißt: Sie haben sich auswärtig mit warmem Essen eingedeckt und machen es sich damit Zuhause gemütlich.

Haben Sie eine Ahnung, wie verführerisch so ein Grillhendl riecht? Die knusprige Haut, darunter das weiße Fleisch. Ich zergehe vor Vorfreude. Aber die Köstlichkeit ist nicht für mich gedacht. Ich bekomme, wenn es gut geht, zum Schluss ein paar Sehnen vom Haxl.

„Tizian, diese Grillhendln sind viel zu scharf gewürzt für dich!" Faule Ausrede!

„Tizian, du bist so gierig. Du könntest an einem Knöchelchen ersticken!" Noch faulere Ausrede. Als ob ich je an einem der Vogelknöchelchen erstickt wäre, die ich in meinem Leben schon verdrückt habe.

Unfair vor meiner Nase finde ich auch warme Ripperln im Alupapier, Leberkäse in der Semmel, eine Scheibe knusprigen Jungschweinsbraten (Senf und Kren dazu können mir gestohlen bleiben), Wienerschnitzel (für mich bitte ohne Kartoffelsalat). Welche Verlockungen! Meine Nase bebt vor Lust. Aber ich bekomme nichts von diesen Herrlichkeiten. Ich bin beleidigt!

Ich tröste mich selbst mit Träumen vom Katzenschlaraffenland. Ich falle mitten hinein ins Paradies der lukullischen Wonnen. Die Bäume tragen statt Äpfeln rohe Forellen und Lachs, statt Birnen Rindsleber und Schweineherz, statt Marillen Hühnerkeulen und Kalbsbries. Zur Vorspeise flattern mir Täubchen ins Maul, zur Nachspeise tanzen Spitzmäuse vor meinen Pfoten.

Stellen Sie sich nur vor, wie es in meinem rohen Fleischparadies duftet! Sie wollen sich das nicht vorstellen? Sie finden diese Geruchskombinationen unappetitlich? Eklig? Das kratzt mich nicht. Es ist schließlich mein Katertraum. Ich schmatze dabei und schlürfe, bin entrückt und meine Barthaare tanzen vor Entzücken.

Einzig dem Geruch meiner wohlgefüllten Futterschüssel gelingt es, mich aus dieser Traumseligkeit zu reißen.

Tizian ist nicht abergläubisch

Es ist purer Unsinn, zu denken, dass eine schwarze Katze Unglück bringt. Welch menschendummes Vorurteil! Zugegeben, an meine tizianrotfarbene Tigerschönheit kommen die schwarzfellig Einfärbigen nicht heran, aber ihnen diesen Beautymangel als Charakterschwäche auszulegen, ihnen menschenverschuldetes Unglück in die Krallen zu schieben und ihren schwarzen Pelz noch weiter anzuschwärzen, das ist doch der Gipfel der Dummheit.

Immer wenn dieser Aberglaube zur Sprache kommt, sagt die Frau, die meine Katzenfutterdosen heimschleppt: „Eine schwarze Katze bringt nur dann Unglück, wenn man eine Maus ist!“ Stimmt barthaargenau!

Überhaupt hat die Frau eine große Liebe zu schwarzen Katzen. Im Laufe ihrer Kindheit gab es in ihrer Familie gleich zwei kohlpechschwarze Kater. Der eine hieß Lumpi, der andere Panter.

Mit Lumpi lebte die Familie damals auf dem Land. Dort, wo heute heiß begehrte Wien-Umgebung-Wohngegend ist. Gießhübl hieß und heißt es da. Damals waren ringsum nur Wiesen. Und vereinzelt Häuser. Eines davon hatte der Vater meiner Zweibeinerin gemietet. Da gab es für meinen Katervorfahren Lumpi viel zu tun! Mäuse von der Speisekammer fernhalten (Kühlschrank gab es damals in Normalhaushalten noch nicht), Ratten biologisch bekämpfen, soll heißen mit gezieltem Nackenbiss ins Rattenjenseits befördern.

Meiner Zweibeinerin, die noch ein Kindergartenkind war, erzählte ihre Urgroßmutter viele Geschichten von Hexen und schwarzen Katzen. Alle Hexen waren böse, vergifteten die Dorfbrunnen, machten das Vieh unfruchtbar, ließen die Ernte verderben und verdrehten den Männern den Kopf, worauf diese ihre Pflichten vergaßen und mit den Bösen der Nacht Sabbat feierten. Nicht zu vergessen die Kehrrichtbesen, auf denen die Hexen des Nachts über die Häuser des Dorfes ritten.

Auf der Schulter so einer Hexe saß immer eine schwarze Katze. Nicht wie das Amen im Gebet, denn mit Gottesdingen standen die Hexen ja angeblich auf Kriegsfuß, sondern wie die Warze im Gesicht.

Meine damals noch so naive Zweibeinerin hörte atemlos zu. Und glaubte viel zu viel. Jahrelang sollte sie sich daraufhin noch vor Hexen und Zauberern fürchten. Selbst vor dem unschuldig hässlichen Zwerg Nase graute ihr. Heute könnte sie dem Hexenaberglauben wundersame Geschichten von weisen Kräuterfrauen entgegensetzen.

Eines aber wollte sie damals schon nicht glauben: dass schwarze Katzen Unglück bringen.

Sie stellte sich vor den Spiegel im Vorzimmer, setzte sich den Lumpi auf die rechte Schulter und sagte: „Unser Lumpi bringt nur Glück! Und ich bin keine Hexe!" Der Lumpi hielt es nur kurz auf der Schulter aus. Er hüpfte schnell wieder auf den Boden und umschnurrte die Füße meiner kleinen Zweibeinerin.

Diese hatte sofort wieder ein Spiel mit ihm vor: Sie verfrachtete ihn in den Puppenwagen, versuchte, ihn zuzudecken, und wenn er nicht fluchtartig das Weite gesucht hätte, wäre sie wohl ungeniert mit ihm spazieren gegangen. Mit einem meiner Art im Puppenwagen! So eine Blamage in unseren Kreisen!

Ich verstehe ja bis heute nicht, wieso kleine Menschenwesen immerzu mit uns spielen wollen. Sie binden uns Schleifen um den Hals und Maschen um das Schwanzende, versuchen uns Röckchen anzuziehen, kämmen uns die Haare in den Ohren und setzen uns regelmäßig in die abenteuerlichsten Fahrzeuge – vom Tretmobil bis zum Leiterwagen. Total katzenwürdeverletzend aber ist es, wenn sie uns an die Leine nehmen und versuchen, mit uns wie mit einem Hund Gassi zu gehen. Brrr!

Zurück zu Lumpi. Der verschwand eines Nachts in den weiten Feldern auf dem Gießhübl und kam nie wieder zurück. Er wäre geradewegs in den Himmel für Tiere, Himmelunterabteilung für schwarze Katzen, gelaufen. So erzählte man dem Kind, das später erwachsen wurde, um für mich, den roten Tizian, sorgen zu können.

Die zweite schwarze Katze in der Kindheit dieser Frau war Panter. Eine klassische Schönheit. Ich muss es neidlos anerkennen. Ich habe Fotos gesehen.

Panter war wild, stolz und sehr potent. Zu jener Zeit war es noch nicht üblich, Kater kastrieren zu lassen. Panter war der Casanova vom Grätzl. Im Laufe der Jahre kamen rund um die Taborstraße (die Familie war inzwischen in die Stadt gezogen) ganz viele kleine schwarze Katzenkinder auf die Welt. Wie die Karnikel!

Panter leistete gute Arbeit. Er war eine Art Mister Mistoffelees, zauberte seinen Nachwuchs in alle Häuser ringsum.

Nach getaner Arbeit ruhte Panter gerne im Körbchen vor dem Kamin. Ja, das gab es seinerzeit noch: Wohnungen mit Kaminfeuer. Später wurde eine Etagenheizung installiert und im Kamin lag nur noch Krimskrams.

Eines Tages kam Panter vom Hof in die Wohnung herauf und die Beine knickten ihm beim Gehen weg. Die Familie fuhr noch in der Nacht ins Tierspital. Der Arzt dort schüttelte den Kopf: „Vergiftung. Da ist nichts mehr zu machen. Sie sollten ihn einschläfern lassen!"

Panter kroch auf dem Untersuchungstisch weg von dem Arzt, hin zu seinen Menschen. Die brachten die Worte „Ja bitte, erlösen Sie ihn" nicht über die Lippen. Die Hoffnung stirbt immer zuletzt. Sie nahmen Panter wieder mit nach Hause und warteten auf ein Wunder. Wie man eben hofft und wartet, wenn ein geliebtes Wesen unheilbar krank ist.

Das Wunder blieb aus. Im Morgengrauen starb Panter.

Und jetzt frage ich Sie: Wer hat hier das Unglück gebracht? Der schwarze Kater, oder der Mensch, der ihn vergiftete?

In der nächsten Zeit war es still in der Wohnung. Die Trauer lag geschlossen über der Familie. Bis eines Tages ein Nachbarbub ein kleines Fellbündel, noch keine acht Wochen alt, bei der Tür hereinwarf, ja wirklich ins Vorzimmer warf, dabei nicht grüßte, nichts fragte, sondern nur die später in der Familie zu legendärem Andenken gereiften Worte sprach: „A Kotz fir eich!"

So kam das Katzenmädchen Struppi zu meiner kleinen Zweibeinerin. Struppi war grau getigert, somit passt sie nicht hierher in dieses Kapitel von den schwarzen Katzen. Von den grauen Katzen deshalb etwas später. Und überhaupt sollte jetzt wieder mehr meine Katerperson in den Mittelpunkt rücken!

Tizian – Meisterstück oder Topmodel-Katze?

Leonardo da Vinci sagte: „Die Katze ist das Meisterstück der Natur." Der Mann hatte Größe, das ist nicht zu leugnen. Man sollte mehr auf solch kluge Menschen wie ihn hören.

Die Frau, die meine Katzenfutterdosen heimschleppt, könnte sich von dem italienischen Universalgenie etwas abpausen! Sie sagt nie: „Tizian, du bist ein Meisterstück!", sie sagt höchstens: „Tizian, hör endlich auf, so viel zu fressen, du wirst noch als Kugel enden!"

Verkannte Meisterstücke wie katerunsereins haben es nicht leicht im Leben: Wir sind zum König geboren und werden zum gewöhnlichen Familienmitglied degradiert.

Meine Zweibeinerin brät Fisch und es duftet so wunderbar, dass meine Barthaare vor Wonne vibrieren. Und dann soll ich von der ganzen Fischherrlichkeit nur einen kleinen Teil abbekommen? Kaum bediene ich mich mit eigener Pfote, heißt es: „Tizian, du Dieb!" Keiner sagt: „Tizian, du Meisterstück, das hast du aber toll gemacht!"

Weil wir grade vom Essen reden: Ich werde jetzt in der Küche nachsehen, ob sich dort etwas Leckeres findet. Wenn nicht, geh ich im Garten auf Mäusejagd. Ein Mäuslein bringe ich heim, damit meine Zweibeiner endlich begreifen, welches Meisterstück der Jägerschaft sie an mir haben!

Wo immer sich etwas Leckeres findet, ob im Haus oder draußen auf dem reich gedeckten Tisch der Natur, werde ich zuschlagen. Ich werde weder die Kalorien zählen, noch meinen Body-Maß-Index berechnen, weder meinen Bauchumfang messen, noch mich um meine Bikinifigur sorgen. Erstens habe ich keinen Bikini (das ist sowieso eine überflüssige Feststellung), zweitens bin ich immer schön und wohlproportioniert, egal ob mit oder ohne Übergewicht.

Über das Thema Hunger spricht die Menschenwelt in zwei Varianten, die gegensätzlicher nicht sein könnten: Sie spricht von Hungernden und (lebenden) Verhungerten. Die Hungernden sind das Schandmal unserer Welt, in der es genügend Essen für alle gäbe – aber eben nur gäbe im Konjunktiv, nicht gibt.

Die Verhungerten sind die neuen Schönheitsköniginnen, die als Vorbild für die Jugend und alle dem Jugendwahn Verfallenen über die Laufstege der internationalen Modewelt trippeln.

Und jetzt stellen Sie sich diesen Hohn vor: So einen Laufsteg nennt man Catwalk!

Catwalk heißt dieses Ding, auf dem die storchenbeinigen hohlwangigen Klapperdürren mit finsterer Miene herumstolzieren. Sie heben bei jedem Schritt die Beine so unnatürlich hoch, als müssten sie über Hundstrümmerln steigen.

Catwalk! Dass ich mich nicht verkutze vor lauter Miauen! Die haben doch noch nie etwas von unserem Katzengang gehört. Von diesem leisen Schleichen auf sanften Sohlen. Von der Geschmeidigkeit, die uns Minitigern eigen ist. Von der Anmut, mit der wir Pfote um Pfote auf diese Welt setzen.

Ein Catwalk steht nur uns zu, uns Katzen!

Auch die Redewendung „auf leisen Sohlen“ ist auf uns zurückzuführen.

Die Frau Suppenkaspar, die man heute Model nennt, hieß früher Mannequin. Das ist zwar auch ein Fremdwort, aber meine Zweibeinerin ist an diese Diktion gewöhnt. Beim Wort „Model“ denkt sie nämlich heute noch an etwas ganz anderes: etwa an ein Förmchen aus Holz, in das man die weiche Butter streicht, es dann kalt stellt oder ins kalte Wasser legt, um es später zu stürzen. Das Ergebnis: schön verzierte Butter, so richtig alpenlandkitschig. Oder sie denkt dabei an ein Wachsmodel, das man zur Zierde an die Küchenwand oder zu Weihnachten auf den Christbaum hängt. Egal ob duftendes Bienenwachs oder köstliche Butter, beides hat nichts mit jenen Kostverächterinnen zu tun, die nur noch Haut und Knochen über den Catwalk tragen.

In unseren Katzenkreisen haben die Dürren nichts zu bestellen. Könnte man bei unsereinem die Rippen zählen, wie könnten wir dann unseren Menschen Vertrautheit vermitteln und dieses milchwarme Gefühl der Geborgenheit? Wo man geliebt wird, muss man nicht hungern. Wir wollen geliebt werden! Wir Katzen wollen gefüttert werden! Unser Schönheitsideal ist mollig und rund.

Der Mann jener Frau, die meine Futterschälchen heimträgt, sagt immer: „Ein Kater muss wohlgenährt sein!“ Ich sage: Auf den Catwalk der Katzen darf nur, wer ordentlich was auf den Rippen hat.

In der Fernsehserie „Sabrina – total verhext“ spielt eine schwarze Katze die Hauptrolle. Jaja, ich weiß, Sabrina und ihre Tanten dürfen auch mitmachen. Aber der wahre Held heißt Salem Saberhagen. Er war früher einmal ein Hexer, ein vermaledeit schlimmer, und wurde deshalb zu hundert Jahren Katerdasein verurteilt. (Sie sehen, wir sind schon wieder bei dieser unseligen Verbindung Hexe und schwarze Katze. Sei's drum. Von Sabrina würde ich mich gerne streicheln lassen!)

Salem Saberhagen, der Filmstar, hat einen solchen Hängebauch, dass er glatt als Hängebauchschwein durchgehen könnte. Bei jedem Schritt wackelt das Wämpchen hin und her. Das nenne ich wahre Katergröße, so in etwa XXL. Wer findet das denn nicht super?

So einen Bauch habe ich auch aufzuweisen. Und er stört mich überhaupt nicht. Im Gegenteil! Bauch macht Ansehen. Wer war früher der honorigste Bürger im Ort? Der dickbauchige Bierbrauer. Eben!

Ginge es nach uns Samtpfötchen, wir würden der Welt schon zeigen, wo die Schönheit zuhause ist. Von wegen Idealgewicht!

Wir sind nämlich von Natur aus schön. Immer. Man muss uns, von einigen Ausnahmen abgesehen, nicht kämmen und bürsten. Nullachtfünfzehnkater wie mich muss man nicht waschen und föhnen, nicht schminken und mit Modeklamotten verkleiden. Wir brauchen keine Klunker und keine Highheels. Unsere Krallen sind immer perfekt manikürt und pedikürt. Wir sind einfach schön. Bloß so. Ohne weitere Zutaten. Welcher Mensch kann uns das nachmachen?

Betrachten Sie einmal das Gesicht einer Katze, die schläft. Ein kleiner Raubtierkopf mit unendlich sanftem Gesichtsausdruck. Löwenzüge und Kindchenschema. Auch sind wir von Geburt aus androgyn, ein heiß begehrtes Schönheitsattribut in der Modelszene. Androgyn bedeutet, dass man auf den ersten Blick nicht sagen kann, ob es sich um ein Männlein oder Weiblein handelt.

Es fiele uns auch in unseren wildesten Katzenträumen nicht ein, uns bei einem Schönheitschirurgen unter das Skalpell zu legen!

Aber noch viel wichtiger finde ich zum Thema Schönheit, dass es uns Katzen schnurrschnurzegal ist, ob die Menschen, denen wir Familienstatus zuerkennen, schön sind oder nicht. Es ist uns egal, ob sie eine lange Nase, einen krummen Rücken oder Zahnlücken haben. Wenn meine Zweibeinerin wieder mal zum Haarefärben überfällig ist, jammert sie mich an: „Tizi, ich kann kein Interview vor Donnerstag machen. Die Frau Maria (das ist die Meisterin von Kamm, Schere und Farbpinsel – sie hat im Laufe eines Vierteljahrhunderts Freundin- und Therapeutinstatus bei meiner Zweibeinerin erlangt) ist erst am Mittwoch wieder da!" Solches Geraunze langweilt mich. Was kann ich dafür, dass sie in der Menschenwelt immer funktionieren und gepflegt aussehen muss. Dass sie keinen weißen Haaransatz haben darf, stets knallfroschmunter gut drauf sein soll, und, wie die Leute so schön sagen, „für ihr Alter" gut ausschauen soll.

Bei mir in meiner Katzenwelt darf sie ruhig mal müde sein (wir schlafen dann gemeinsam ein Stündchen auf dem Sofa), muss nicht hübsch aussehen und darf einen weißen Scheitel haben. Wir Katzen beurteilen unsere Menschen nicht nach Äußerlichkeiten. Wir nehmen sie mit dem Herzen wahr.

Zeit der Zärtlichkeit

Ich habe mich bereits geoutet: Ich schlafe nur allzu gern mit meiner Zweibeinerin ein halbes Stündchen oder mehr auf dem Sofa.

Schlafen ist zwar ohnehin die vorrangige Tagesbeschäftigung für mich, aber dieses miteinander Kuscheln ist viel mehr als nur Erholung für den Katzenkörper. Es füllt meinen Gemütsspeicher auf. Zeit der Zärtlichkeit. Wohltuend für Katze und Mensch.

Ich liebe es, wenn es sich meine Menschen auf dem Sofa bequem machen. Das ist für mich das Familiensignal: Freizeit ist angesagt! Schon möglich, dass sich meine Zweibeinerin da hin und wieder Arbeit mitnimmt, aber das ignoriere ich.

Ein Sofa ist ein Ort zum Ausspannen, zum Lesen, Fernsehen, Schmausen, Dösen, Schlafen, Träumen.

Unser Sofa hat so eine Ausstrahlung, dass einen schon bei seinem Anblick das große Gähnen überkommt. Unsere Familie besteht aus lauter passionierten Gerne- und Langeschläfern. Diese kleinen Menschenwesen, denen keine Nachtruhe heilig ist, die schon um sechs Uhr in der Früh fröhlich quietschen, die beim Wort Mittagsschlaf brüllen und erst nach einem aufwändigen Gute-Nacht-Ritual mit sieben süßen Einschlafgeschichten und fünf Draufgaben bereit sind, eventuell, versuchsweise, ein wenig einzuschlafen – nun diese Schlafspielverderber gab es seinerzeit auch in meiner Menschenfamilie. Aber sie sind alle geheilt. Sie sind alle groß geworden. Sie kennen und genießen mittlerweile alle das Glück, genügend Zeit zum Schlafen zu haben.

Wir sind uns einig: Ein Schläfchen tagsüber hebt die gute Laune ungemein.

Nun ist es nicht so, dass bei uns nur geschlafen wird. Deshalb habe ich das Sofa im Wohnzimmer stets im Auge. Und auch im Ohr. Egal wo immer in der Wohnung ich mich gerade aufhalte, quietscht das Sofa, bin ich zur Stelle! Ich möchte nichts versäumen. Möchte keine Minute der Zärtlichkeit missen. Kaum nimmt meine Zweibeinerin (oder sonst jemand von meinem familiären Personal, ich bin da nicht wählerisch) auf dem Sofa Platz, schon bin ich obendrauf, wie der Schlag auf dem Kaffee, das Sahnehäubchen auf der Melange, der Rahm auf der Milch.

Ich mache es mir auf dem Schoß bequem. Manchmal will man mir dieses Grundrecht verwehren. „Tizian, wie soll ich Kaffee trinken und Zeitung lesen, wenn ich dich auf dem Schoß habe?“ Ich bin diesbezüglich für Argumente nicht zugänglich. Soll sie halt den Kaffee wegstellen und die Zeitung hoch halten, so wie in den Krimis, wo sich die Detektive immer hinter den Zeitungen verstecken. Dann habe ich locker drunter Platz. Dass meine Zweibeinerin davon Muskelkater in den Oberarmen bekommt, schmerzt ja mich nicht. Aber es ist sowieso besser, sie verzichtet auf Kaffee und Zeitung und nützt die so gewonnene Zeit, um mich hingebungsvoll zu kraulen und zu streicheln.

Will meine Zweibeinerin stur bleiben, mache ich rehweidwunde Augen (obwohl meine Augen glasgrün sind und nicht braun) und tapse sanft mit einer Pfote. Da kann niemand widerstehen. Das ist katzenhundertmal erprobt. Ich bekomme meinen Platz auf dem Schoß.

Oft werden wir beide dann vom Nichtstun so müde, dass die Frau, die dafür zuständig ist, dass es in unserer Wohnung immer warm und behaglich ist, zu mir sagt: „Tizian, ich werde mich jetzt ein wenig ausstrecken." Diese Worte verstehe ich sofort. Ich wechsle meinen Ruheplatz. Ich kuschle mich nun in die Mulde zwischen Oberkörper und Arm. Und dabei will ich ganz fest gehalten werden. Meist drehe ich mich zuvor noch einige Male um die eigene Achse, probiere diese oder jene Position aus, aber zuletzt lande ich doch immer mit meinem Gesicht Richtung Zweibeinerin.

Ab da schnurre ich. Und wie! Wie ein Automat, den man zu fest aufgezogen hat. Ich schnurre so laut, dass man es im ganzen Raum hören kann. „Tizian, dein Schnurren sollte ich einmal als Klingelton für mein Handy verwenden." Sätze wie diesen murmelt die Frau, und schon döst sie weg ins Land der unbegrenzten Träume.

Das sind Augenblicke voll Glück und Glas. Zeiten der Zärtlichkeit.

Nur eines verstehe ich nicht: Solche Glücksmomente könnten wir viel öfter haben, ließe mich die Frau auch in ihrem Bett schlafen. Aber da ist sie stur und konsequent. „Tizian, im Bett hast du nichts verloren. Auch da noch deine Katzenhaare. Das pack ich nicht!"

Was soll ich dazu schon sagen. Manchmal muss sogar ich eine Niederlage einstecken. Und Dinge akzeptieren, die ich nicht ändern kann. Doch hin und wieder, ich kann nicht genau sagen, ob es am Vollmond oder an Momenten zivilen Ungehorsams liegt, springe ich unvermittelt mitten in der Nacht ins Bett der Frau, die ein hübsches Körbchen für mich ins Schlafzimmer gestellt hat.

Ich hüpfe immer ganz nah an ihr Kopfkissen. Sie wird jedes Mal sofort wach. Sie ist eine gelernte Mutter, hat etliche kleine Zweibeiner großgezogen. Da verlernt man das Durchschlafen. Eine Gehirnhälfte ist selbst zur Nachtzeit in Alarmbereitschaf. Schreit eines der Kinder? Welche Katastrophe ist heute Nacht wieder angesagt? Wenn sie dann um drei Uhr morgens in meine Panteraugen blickt, nur zehn Zentimeter von ihren Augen entfernt, kann sie das überhaupt nicht aus der Fassung bringen. Die Frau lässt sich von keinem Horrorschocker beeindrucken. „Tizian, raus!" Sie dreht sich um und schläft weiter.

Ich trolle mich. Im Laufe der nächsten Tage werden wir das Versäumte schon nachholen. Auf dem Sofa. Mit Schnurren und Schlummern.

Tizian schnurrt auf die Arbeit

Katzenleben ist harte Arbeit. Die Menschen behaupten zwar, wir Katzen wären geborene Nichtstuer, Faulpelze, Tachinierer. Aber das ist natürlich Menschenstandpunkt. Für uns ist Mäusefangen Arbeit, ebenso ist es Arbeit, unseren Pelz bis aufs letzte Flaumhaar zu putzen. Und dem schlimmen Poz (Poz ist Kärntner Dialekt und bedeutet Kater) von Haus Nummer zehn zu zeigen, wer in unserer Straße das Miauen hat.

Doch eigentlich will ich mit meinen philosophischen Gedanken zum Thema Arbeit auf etwas ganz anderes hinaus. Vielleicht nicht grad bis zu Marx und Engels. Aber ich mache mir Gedanken über die Arbeit meiner Zweibeinerin. Und über unsere so kontroversiellen Vorstellungen, was den Begriff der Arbeit betrifft.

Wenn Sie die Frau fragen, ob es Arbeit ist, meine vielen Katzenfutterdosen heimzuschleppen, wird sie, ohne auch nur eine Sekunde zu zögern, antworten: „Ja, natürlich ist das Arbeit! Was denn sonst? Vielleicht Freizeitvergnügen? Muskeltraining für meinen verspannten Rücken? Prophylaxe für den nächsten Bandscheibenvorfall?“ Sehr sarkastisch kann sie sein, meine Zweibeinerin. Ich kann ihren Standpunkt nicht teilen. Ich finde, es ist doch das reine Vergnügen, für ein Goldstück wie mich sorgen zu dürfen!

„Beklage nie den Morgen, der Müh und Arbeit gibt. Es ist so schön zu sorgen, für Tizi, den man liebt!"

Ja, Sie haben schon richtig gelesen – ein Dichter bin ich auch. Tizian, der Poet unter den Pfotenschreibern. Aber das werden Sie, liebe Leserinnen und Leser, ja schon lange bemerkt haben.

Der weltberühmte Psychologe Paul Watzlawick ist ein Vertreter des Konstruktivismus, der besagt, dass jeder Mensch sich seine eigene Wirklichkeit schafft. Arbeit wird also erst dann zur Arbeit im beschwerlichen Sinn, wenn man sie als solche empfindet.

Ich empfinde die Arbeit, die meine Zweibeinerin mit mir hat, nicht als Arbeit. Soll sie es mir doch gleichtun. Schon wird es ihr ganz leicht fallen, mich über die Maßen zu verwöhnen.

Außerdem haben der Amerikaner Watzlawick und ich mehr gemeinsam, als dem Mann bekannt sein dürfte. (Dabei fürchte ich, dass er mich nicht einmal kennt.) Er ist in Villach geboren – ich ein wenig außerhalb. Er ging aufs Peraugymnasium in der Peraustraße. Ich wohnte jahrelang in der Peraustraße und jener junge Mann, dem ich mein Leben zu verdanken habe, ging auch aufs Peraugymnasium.

Die Welt ist doch erstaunlich klein. Hier ein Kosmopolit, hier ein Villacher. Hier Paul, hier Tizian. Zwei Geistesgrößen!

Mit dem psychologischen Rüstzeug des Konstruktivismus versehen, müsste es meiner Zweibeinerin leicht fallen, mein Katzenklo sauber zu halten, genügend Futter und Streu heranzuschaffen, meine Decken zu waschen und – Sisyphus lässt grüßen! – immer wieder aus Neue meine entzückenden roten Katerhaare in der gesamten

Heimstatt aufzusaugen, wegzubürsten, ihnen mit dem Kleberoller den Garaus zu machen.

Was die andere Arbeit meiner Zweibeinerin betrifft, die, mit der sie das Geld für Miete, Katzenfutter und sonst noch ein paar Kleinigkeiten verdient, da habe ich meine eigene Tizianmethode entwickelt. Sehe ich sie irgendwo liegen, die Arbeit (Zeitungsausschnitte, Manuskripte, Kolumnenentwürfe, Reportagenotizen, Terminkalender), spüre ich, dass die Tastatur des Computers schon heißläuft und das Fax bald schlapp machen wird, dann mache ich kurzen Prozess. Ich mache das einzig Richtige, das man mit Arbeit tun sollte: Ich vernichte sie! Ich lege mich drauf, drauf auf Tastatur, Fax und Papierkram, drauf in voller Tizianbreite und Tizianlänge. Ich schnurre auf die Arbeit!

Würden alle Zweibeiner so handeln wie wir samtpfötigen Arbeitsignoranten, es gäbe viel weniger Stress in der Welt.

Schon der Geruch der Arbeit lockt mich an. Das Papier, egal ob blütenweiß oder bedruckt, ich muss es mit meinem Gewicht beglücken. Ich fläze mich quer über alles drüber. Ich nehme keine Rücksicht auf Verluste.

„Tizian! Was fällt dir ein! Weg da!“ So unrühmlich endet meine gute Tat der Arbeitsvernichtung. Ich bin gekränkt. Und beleidigt.

Ich schleiche mich. In meinem Katzenfall ist das Wort „schleichen“ kein ordinärer Ausdruck. Wir Katzen schleichen ja wirklich durchs Leben. Und ich schleiche jetzt von dannen, um ein wenig das Arbeitspensum meiner Zweibeinerin zu erhöhen. Schließlich befinden wir uns hier im Kapitel „Arbeit und mehr“, oder so.

Ich habe meine speziellen Vorlieben. Die, von denen meine Versorgerin nicht gerade begeistert ist. Sie fasst sie zähneknirschend unter dem Begriff „Tizians Arbeitsbeschaffungsprogramm" zusammen.

Ich spreche von meiner Liebe für feine, ganz saubere Wäsche, die wohlverwahrt im Kasten ruht, oder frisch gebügelt im Korb, oder ordentlich gestapelt auf dem Tisch.

Ich verschwinde gerne in der Kommode neben dem Esstisch. Wehe, da vergisst jemand, die Tür zuzumachen! Husch, husch, schon bin ich auf den Tischdecken. Je heller, je heikler, umso lieber habe ich es. Wie das duftet! Kein Wunder, ich habe mich ja auch auf Veilchen gebettet. Gestickte zwar, aber das tut der Gemütlichkeit keinen Abbruch. Die Blümchen zieren die kleine Decke, die obenauf liegt. Und da drauf bin dann ich.

Manchmal nehme ich eine Etage tiefer und ruhe mein Tizianhaupt auf den Platzsets aus. Die sind leicht gerippt. Da bleiben meine Haare besonders gut haften.

„Tizian!" Das klingt genervt. „So sauber war die Wäsche. Alles für die Katz!" Na eben, denke ich, alles für mich.

Und trolle mich Richtung Schlafzimmer. Ich bin beleidigt. Ich verkrieche mich im Kasten ganz hinten auf den Jeans. Der Kasten ist tief, da findet man mich nicht so schnell. Hoffe ich. Ich hoffe vergebens. „Tizian, du gehst mir auf den Keks!" Und wieder werde ich vertrieben aus dem Paradies der sauberen Wäsche.

„Tize, du machst mir nur Arbeit!" Womit wir zurück beim Thema wären. Nur der Tonfall der Anschuldigung gefällt mir nicht. So viel Unfreundlichkeit wegen ein paar Katzenhaaren.

Ich warte bis zum Abend, bis zur blauen Stunde (bei der Jugend heißt das After-Work-Hour), bis es sich meine Zweibeinerin auf dem Sofa bequem macht. Ich hüpfe auf ihren Schoß und allein meine Wärme beruhigt ihre Nerven. Sie streicht über meinen weichen Pelz, hält ein Büschel rote Haare zwischen den Fingern, zwirbelt es gedankenverloren zusammen. Sie streichelt mich weiter, sie spürt mein zufriedenes Schnurren in den Fingerspitzen und vergisst jede Arbeit und jeden Ärger.

Tizian spielt Theater

Es war in jenem Winter, der so kalt und überlang war, der kein Ende nehmen wollte. Sie erinnern sich bestimmt noch mit Kälteschauern daran. Es war dieser Winter, in dem sich die Menschen nicht mehr mit „Servus!“ und „Wie geht's zuhause?“ begrüßten, sondern nur noch mit der Litanei der Kältegeschädigten: „Wann ist denn endlich dieser Winter vorbei!“ Der Satz muss mit Rufzeichen, nicht mit Fragezeichen geschrieben werden. Das soll heißen: Kein Pardon mehr für meterhohen Schnee, doppelte Heizkosten und Winterdepressionen.

Die Tage waren kurz und die Nächte eisig. Der Schnee war Dauergast und die kleinen grauen Mäuslein aus dem Garten waren echte Winterspielverderber: Sie lugten kaum noch aus ihren Löchern. Ich hatte niemanden mehr zum Ärgern und zum Fressen.

Also suchte ich mir einen neuen Zeitvertreib: Ich lernte, Theater zu spielen. Wir Katzentiere sind nämlich schon von Geburt aus mit dem Gen der genialen Schauspielkunst geboren. Wir sind Körpersprache-Mimen. Einerseits haben wir ein Pokerface: Keine Träne kullert je über unsere Wangen, kein albernes Lachen entstellt unsere edlen Gesichtszüge. Andererseits haben wir eine so starke körperliche Ausdrucksfähigkeit, dass wir die Menschen locker um jede Pfote einzeln wickeln. Und das sind ja bekanntlich gleich vier.

In jenem Winter führte ich das Stück „Tizian ist am Verhungern" das erste Mal auf. Es bedurfte keiner Generalprobe. Ich gab gleich die Premiere, und die war ein Riesenerfolg. Kein Regietheater. Eine authentische Performance. Burgtheaterreif. Tizians Hungerstück. Die Aufführung wird auf meine Lebensdauer verlängert.

Mit meiner Darbietung beeindruckte ich (und beeindrucke ich immer noch) alle Familienmitglieder. Das Stück kann zu jeder Tages- und Nachtzeit gegeben werden. Es braucht kein eigenes Bühnenbild und keine Requisiten – was im Haushalt vorhanden ist, genügt. Ich benötige auch kein Kostüm und keine Maskenbildnerin. Wer wollte denn einen Schönling wie mich noch verschönern?

Prolog: Ich warte im Vorzimmer, dass endlich jemand heimkommt.

Der erste Akt: Ein Familienmitglied öffnet die Tür. Egal welches der durchschnittlich sieben, es ist sofort mittendrin in der Aufführung. Etwa Sohn Nummer eins. Ich umschmeichle ihn, schnurre ihm was vor, laufe ihm ständig zwischen die Füße. Ich werfe ihm mehrmals meinen „Ich falle ja schon vom Fleisch"-Blick zu. Es funktioniert. Ich locke ihn damit in die Küche. Er füllt mein Schüsselchen.

Der zweite Akt: Die Mutter meiner Zweibeinerin kommt zu Besuch. Sie ist ein besonders dankbares Publikum, leicht zufrieden zu stellen und jedes Mal aufs Neue begeistert von meiner Vorstellung. Sie rennt noch in Hut und Mantel in die Küche, um mich zu füttern.

Der dritte Akt: Eine halbe Stunde später kommt Sohn Nummer zwei heim und ist fasziniert von meinem schauspielerischen Können. Er eilt in die Küche und füllt mein Schüsselchen.

Ein kurzer Zwischenakt für Menschen in Terminnot: Die jüngste Tochter des Hauses fällt zur Tür herein. In Eile, wie immer. „Keine Zeit, Tizian, keine Zeit!“ Doch auch sie kann sich meinem eindringlichen Hungerspiel nicht entziehen. Vielleicht ist auch etwas schlechtes Gewissen dabei. Von ihr bekomme ich immer ein köstliches Schälchen, weil zum umständlichen Dosenöffnen hat sie nie genügend Zeit.

Der vierte Akt: Der Ehemann meiner Zweibeinerin kommt nach Hause. Bei ihm reicht verhaltenes, reduziertes Spielen. Minimalistik. Kein Outrieren nötig. Er ist der wahre Gentleman in der Familie meiner Menschen. Ehe er irgendetwas anderes tut, sieht er nach, ob ich wohl genug Futter in der Schüssel habe. Wenn nicht, schüttelt er missbilligend den Kopf. „Ja, geben die denn hier dem armen Kater nichts zu fressen!“ Vielleicht lächelt er ein wenig bei diesen Worten, aber das ignoriere ich. Schon sind Schüssel und Tizianbauch wieder gefüllt.

Fünfter Akt: Die ältere Tochter des Hauses sperrt auf, sieht mich bei meiner Hunger-Performance und rechnet mir knallhart vor, wie hoch meine monatlichen Fixkosten, vor allem die für Futter, für meine Menschenfamilie sind. „Tizian, du bist zu teuer fürs Fressen!“ Doch dann erbarmt sie sich meiner. „Ich bin ja nicht herzlos!“ Und sie füttert mich.

Nun zum letzten Akt: Hier sinkt das Niveau des Stückes dramatisch ab, fast könnte man schon sagen ins Schmierenkomödiantische. Die Frau, die all die guten Futterdosen heimschleppt, ist nämlich eine rechte Kunstbanausin. Sie hat kein Feeling, kein unparteiisches Urteilsvermögen. Als Kritikerin hat sie bei mir nichts zu bestellen. Sie weiß meine oscarreifen Leistungen nicht zu schätzen. Sie sieht mir ungerührt beim Verhungern zu und sagt nur lapidar: „Tizian, lass das Theater! Du hast heute schon elfmal gefressen. Das reicht!“

Epilog: Hier kippt das Spiel in die Realität. Ich fühle mich elend. Dort wo mein Bauch sein sollte, ist eine große Grube. Gähnende Leere. Was soll bloß aus mir werden? Kaum habe ich eine Stunde lang nichts gefressen, fühle ich mich wie ein Strich in der Landschaft!

Im Namen der Kater!

Weil wir da grade beim Winter waren – spätestens ab Neujahr geht es immer los, dieses alberne Gerede vom Kater nach den durchzechten Nächten. Als ob so ein sanftsamtpfötiger Wohnungsherrscher wie ich etwas mit den Trinkgewohnheiten der Zweibeiner zu tun hat.

Restalkohol im Blut, Brummschädel und Magensausen – dafür soll ich mit meinem guten Namen herhalten?

Gestatten, ich bin ein Kater. Und zwar kein solcher, der einen plagt, wenn man sich am Tag zuvor bis obenhin hat volllaufen lassen. Ich bin etwas ganz und gar Einmaliges, vor allem etwas Positives. Ich sehe im übermäßigen Alkoholkonsum nichts Erstrebenswertes.

Meine Zweibeinerin ist schon eine ganze Weile auf dieser Welt. Sie könnte Ihnen viele Geschichten davon erzählen, wie das manchmal mit dem Alkohol endet. Geschichten von Kummer und Leid, von Abhängigkeit, Entzugskuren und Rückfällen, von verlorenen Jobs, gescheiterten Ehen, unglücklichen Kindern und Verschuldung.

Einmal interviewte sie die Witwe eines bekannten Künstlers. Der Mann war Trinker und sah zuletzt Schlangen unter dem Bett und faustgroßes Ungeziefer auf seinem Körper.

Und für solch eklige Sachen soll ich mit dem Namen „Kater“ herhalten?

Fragen Sie meine Zweibeinerin, sie wird es Ihnen bei jedem einzelnen meiner Barthaare bestätigen: Ich habe vielleicht nicht das rechte Maß beim Fressen – aber Alkohol? Nein danke! Damit können Sie mich quer durch sämtliche Mäuselöcher jagen.

Auch werden Sie von mir nie eines dieser Bilder sehen, wo der Fotograf mich symbolisch missbraucht: mit einem halbvollen Sektglas in Krallennähe, Luftschlangen um den Hals und Konfetti rundum. Brrrrr – katerentwürdigend!

Im Namen der Kater! Ich fordere die Zweibeiner auf, sich ein anderes Wort dafür zu suchen, wenn ihnen hundeübel nach dem Genuss von Schampus und Schnaps ist.

Alles für die Katz!

Nach dem unangenehmen und deshalb auch nur kurz gehaltenen Ausflug im letzten Kapitel will ich jetzt über nettere katzensprichwörtliche Redewendungen parlieren. Das „Alles für die Katz“ kam erst vor kurzem in diesem Buch vor. Meine Zweibeinerin verwendet es ganz gern, wenn sie glaubt, wieder mal keppeln zu müssen. Dabei gibt es doch nichts Schöneres, als wenn alles (Gute) für die Katz ist. Dass die Menschen den Sinn der Redewendung mehr im „Alles vergebens“ sehen, geht mir glatt am Nackenfell vorbei. Alles für die Katz! Alles für mich! Meine Augen werden groß und dunkel: Futter, Kissen, das Sofa, das Sonnenplätzchen auf der Terrasse, Streicheleinheiten, die große Freiheit in unserer Straße und gleichzeitig ein gemütliches Zuhause. Alles für den Tizian!

Toll finde ich auch „Die Katze lässt das Mausen nicht“. Da haben die Menschen mit dieser Wortgruppe im Fertigbausatz (so in etwa erklärt der Duden Redewendungen) wirklich mit der Katzenkralle auf den Mäusekopf getroffen.

Ich verspreche Ihnen, solange ich noch zumindest eines meiner neun Katzenleben habe, werden die kleinen Nager nicht sicher vor mir sein. Mäusejagd ist aller Katzen Sport.

Mögen die Zweibeiner ein einzelnes Mäuschen auch

liebenswert finden, Mäuse in großer Zahl, vor allem in Haus und Keller, sehen sie nicht als Ergänzung zu „Schöner Wohnen". Schon rufen sie nach uns gloriosen Mäusejägern. Und wir tun unsere Pflicht, schnell, leise und zuverlässiger als jede Mausefalle das tun könnte.

Meine Menschenfamilie verbringt sehr gerne ihren Urlaub auf der Alm. Von meiner Heldentat des Fuchs-Verjagens haben Sie ja schon gelesen. (Entschuldigung, ich kann mich da gar nicht oft genug wiederholen. Auch katerunsereins, nicht anders als der Mensch, hat ein Repertoire an Geschichten, die er bei jeder Gelegenheit wieder hervorkramt.)

Auf der Alm wartet jedes Jahr genügend Mäusearbeit auf mich. Vor allem, wenn nach langen Wintern wieder mal das Bettzeug angeknabbert ist und sich Mäusedreck in der Speisekammer findet. Dann heißt es: „Tizian, an die Arbeit!" Und: „Tu dich!" Das ist umgangssprachlich und bedeutet so viel wie: „Mach mal schnell, alter Kumpel!"

Und ich tue mich, so schnell können die kleinen Speckfresserchen gar nicht in ihren Löchern verschwinden.

Um die Hütte, vor allem in der großen Holzlage, wo die Scheiter für den Holzherd luftig lagern, wird es schon beschwerlicher. Allerdings: Ich bin der Beste und Größte. Hat jemals jemand gewagt, daran zu zweifeln? Ich habe mein spezielles Mäusefangverfahren. Copyright by Tizian. Näheres wird nicht ausgeplaudert. Nur so viel: Geduld, mucksmäuschenstilles Anschleichen, blitzschnelles Zuschlagen, das sind die Grundvoraussetzungen für den Mäusejagderfolg.

Meine Zweibeinerin erzählt manchmal diese Geschichte: Ein Sommermorgen. Wie immer. Sie tritt vor die Hütte, hält die Nase in die Luft („Wetterschmecken" nennen das die Einheimischen dort oben in den Bergen) und schnuppert, wie das Wetter wohl an diesem Tag werden wird. Dann blickt sie zu Boden, und was sieht sie? Mehr als zehn tote Mäuse. In der Jägersprache würde man sagen: eine Mäusestrecke. Im Abstand von etwa zehn Zentimetern eine Maus neben der anderen. Alle gleich ausgerichtet, Köpfe zur Hütte, parallel, akkurat. „Tizian, in dieser Nacht warst du aber besonders fleißig!"

Ich solchen Momenten, bei solchem Lob, wird mir innerlich ganz warm vor Freude. Die Frau weiß eben, was sie an mir hat. Sie schätzt mich. Zu Recht. Äußerlich bleibe ich cool. Tue so, als hätte ich nur meine Pflicht erfüllt.

Den Begriff „Mausen" hat meine Zweibeinerin in ihrer Kindheit völlig verkehrt interpretiert. In meinem Sinn spielverderberisch. Sie lebte damals auf einem Bauernhof. Ihre Mutter (das ist jenes Familienmitglied, das als größte Bewunderin meiner Schauspielkunst einen Käsestein bei mir im Brett hat) war Magd. Meine Zweibeinerin war den ganzen Tag auf dem Hof unterwegs. Vor ihrer Tierliebe waren weder Hund noch Katz, weder Gans, Ente oder Hendl sicher. Nur die Pferde, Kühe und Ochsen waren ihr zu groß zum Streicheln.

Dafür entdeckte sie die Mäuse. Von denen gab es auf dem Bauernhof jede Menge. Mäuse satt, hätte das für mich bedeutet. Doch was tat das Kind? Diese verkappte Tierschützerin? Sie fing die Mäuse, besonders die ganz kleinen, die noch im Nest unterm Heu lagen. Die Knechte halfen dem Kind. War doch wirklich lustig diese Fangerei, fanden sie. Das Kind stopfte die Mäuse in eine Schuhschachtel, machte Löcher in den Deckel, und als mit dem Gong zum Essen in die große Bauernküche gerufen wurde, stellte es die Schachtel in die Kammer der Knechte. Die schliefen alle gemeinsam in einem großen Raum. Damals gab es noch viele Knechte und Mägde in der Landwirtschaft, aber kaum Maschinen.

Als das Kind später zurückkam (mit einem Stück Brot vom Mittagessen, das es nun den Mäusen verfüttern wollte), war die Schachtel leer. Die klugen grauen Nager waren einfach getürmt! Hatten die Schachtel um- und den Deckel abgeworfen und waren wieder glücklich in Freiheit.

Lassen Sie mich nun über die Redewendung „Wenn die Katze aus dem Haus ist, tanzen die Mäuse auf dem Tisch" referieren. Mir gefällt die! Ich interpretiere sie so: „Wenn die Menschen aus dem Haus sind, tanzen wir Katzen auf dem Tisch!" Vergönnt uns doch diese wunderbaren Tanzstunden. Dancing Star Tizian!

Kaum ist meine Zweibeinerin aus dem Haus, mache ich es mir in ihrem Bett gemütlich, schlürfe das Wasser aus der Blumenvase und zerre so lange am Nylonsackerl vom Mistkübel, bis der umfällt und ich nach Herzenslust in den Essensresten wühlen kann.

Kommt meine Zweibeinerin heim, mache ich auf unschuldig. Sie fällt auf den Trick nicht herein. „Tizian!!!" Drei Rufzeichen. „Was soll der Saustall in der Küche!" Und: „Du warst schon wieder in meinem Bett!"

Wie uncharmant sie das formuliert. Richtig vorverurteilend. Sie hätte doch märchenliebenswürdig fragen können: „Wer hat in meinem Bettchen geschlafen?" Schließlich gilt bei uns diese Rechtsregel: Im Zweifel für den Angeklagten (in der Übersetzung: Im Zweifel für die Katze).

Wenn nun die Hüterin meiner Futterdosen das nächste Mal weggeht, wird sie mir bestimmt vorsätzlich die Tanzstunde vermiesen. Sie wird die Schlafzimmertür zumachen und den Mistkübel ins Besenkammerl stellen. Das mit dem Blumenwasser ignoriert sie.

Da kommt doch keine Freude auf!

Ich muss mich trösten. Ich gebe umgehend eine Performance. Egal ob jemand zuhause ist oder nicht, egal ob es Jurorenpunkte oder Publikumsvoting gibt. Die Vorstellung heißt: „Tizian und der fast fliegende Teppich". Das sieht so aus: Ich kralle mich in eine Ecke vom Teppich. Ich ziehe mich unter den Teppich. Festgekrallt rolle ich mich in den Teppich ein. Aladin lässt grüßen. Schließlich luge ich nur noch mit dunklen wilden Augen aus dem Teppich hervor. Und mit meiner zarten rosa Nasenspitze.

Ich bin überdrüber. Marke „aufgekratzte Katze". Übermütig bis zum Gehtnichtmehr.

Ist meine Zweibeinerin bei diesem Spiel anwesend, dann muss sie lächeln. „Tizian, du alter Khampl (Kärntnerisch für Prachtkerl), du bist ja noch ein richtig junger Springinsfeld!" Wenn das kein Kompliment ist!

Ich bin zufrieden. Ich verlasse den Schauplatz meiner zirkusreifen Vorstellung. Den Teppich darf sich meine Zweibeinerin selber wieder richten. Ich habe schließlich Wichtigeres zu tun, als meinen Menschen die Wohnung in Ordnung zu halten.

Tizian und die Vergangenheit

Es sind immer diese wehmütigen Abende, an denen mir meine Zweibeinerin von der Vergangenheit erzählt. Jetzt, nachdem alle Zweibeinerkinder erwachsen und ausgeflogen sind, bin ich oft der einzige Zuhörer im Haus. Manchmal ist es ein altes Foto, manchmal ein bestimmtes Wort, und die Erinnerungen an all das Getier in der Lebens-Arche-Noah wollen erzählt werden. Normalerweise bin ich an so viel Nostalgie nicht sonderlich interessiert. Das Einzige, wo ich gerne zuhöre, sind die Katzengeschichten.

Ich halte es da mit den Historikern, die sagen: Nur wenn man die Vergangenheit kennt, kann man die Gegenwart verstehen und die Zukunft besser gestalten.

Ich lasse mir also von den verschiedenen Katzen berichten, für die meine Zweibeinerin schon vor meiner Zeit Dosenfutter heimgeschleppt hat, wie zum Beispiel von Lumpi und Panter, die ich schon erwähnte.

Da waren unter anderem (ich gebe kein Ehrenmiau auf Vollständigkeit, schließlich bin ich nicht der Chronist meiner Zweibeinerin) die schwarzweißen Zwillingskinder Minz und Maunz.

Kurzer literarischer Einwurf: Wissen Sie noch, wo diese Namen herkommen? „Und Minz und Maunz, die Katzen, erheben ihre Tatzen. Sie drohen mit den Pfoten: ‚Die Mutter hat's verboten!'" Ja, genau, im Struwwelpeter dürfen die beiden den gar traurigen Feuertod des unfolgsamen Paulinchens beklagen.

Dann kam Sebastian, ein roter Vorgänger, von dem hier schon die Rede war. Und ein ganzer Wurf dunkel gestromter Wollknäuel. Die Katzenkinder sahen so aus, als könnten sie kein Wässerchen trüben und entwickelten sich bald zur übermütigen Viererbande.

Generationen von Bauernkatzen haben bei meiner Zweibeinerin angeklopft. Der dreibeinige Käpt'n Hook ebenso wie das zum Umfallen erschöpfte und ausgehungerte Fräulein Spindeldürr. Immer sind die kleinen Streunertiger eines Tages unangemeldet im Garten oder auf der Terrasse gesessen. Es war, als hätte es die vereinigte Katzenzunft mit unsichtbaren Zinken auf die Tür geschrieben: „Hier mag man uns!"

Ein Fräulein Rebecca kam, blieb und entpuppte sich später als stolzer Rebecco. Leider verschwand er von einem Tag auf den anderen. Die unscheinbare Tigris war auch unter der großen Katzenschar. Sie war meine Vorvorgängerin. Ihre Geschichte ist gar nicht glamourös. Sie ist banal, alltäglich und zum Schluss traurig. Vielleicht geht sie meiner Zweibeinerin deshalb, eineinhalb Jahrzehnte später, immer noch zu Herzen.

Tigris war grau getigert mit schwarzen Pfoten. Sie war so kurzbeinig, dass es fast schon hässlich war. Sie hatte hervorstehende Basedowaugen und einen kümmerlichen, unansehnlichen Schwanz. Sie hätte bei jedem Schönheitswettbewerb den letzten Platz gemacht.

Aber sie war eine Seele von Katze, eine Kämpfernatur, eine wunderbare Katzenmutter.

Tigris war beim Nachbarn übrig geblieben. Der Bauer war fortgezogen, der Hof stand leer. Damals war diese

Gegend noch Vorstadt. Heute reiht sich da ein Einkaufstempel an den anderen.

„Weißt du, Tizian, es gibt Menschen, bei denen zählt eine Katze nichts." Jaja, das habe ich schon oft gehört, allein mir fehlt der Glaube. Wie sollte denn solch ein Prachtexemplar wie ich nichts zählen! Ich habe diesbezüglich noch nie eine schlechte Erfahrung gemacht.

„Viele Katzen werden einfach zurückgelassen oder ausgesetzt, wenn die Menschen umziehen." Welch ungeheuerliche Feststellung!

Tigris lebte allein im Stall, kroch später durch die kaputten Scheiben ins Haus. Aber auch dort war es kalt und schmutzig.

„Und unerschrocken war die Tigris. Tizian, ich kann dir sagen! Einmal bin ich spätabends heimgekommen. Es war Vollmond. Ich tat einen Blick hinüber zum Nachbarn. Und was sehe ich? Hoch oben auf dem spitzen Scheunendach sitzt die Tigris. Sitzt da, als ob sie sicheren Boden unter den Füßen hätte. Eine richtige Trapezkünstlerin."

Meine Begeisterung für solche Menschen-Äußerungen hält sich in Grenzen. Von diesen Katzendingen verstehe ich mehr. Im Mondenschein auf spitzen Dächern herumzubalancieren, das ist für uns nichts Besonderes. So sind wir eben, wir Katzen und Kater. Das kann ich doch auch mit links.

Tigris begann, sich Futter auf der Terrasse zu holen. Sehr vorsichtig. Man kann ja nicht wissen. Ich hätte es ihr schon miauen können, dass ihr meine Zweibeiner kein Leids tun. Aber ich träumte ja damals noch im Storchenteich der ungeborenen Katzenkinder.

Später ließ sich Tigris auch ein wenig streicheln. Und noch später brachte sie zwei entzückende, etwa acht

Wochen alte Katzenkinder mit zur Fütterstunde: meinen unmittelbaren Vorgänger, den grau-weißen Billy, und seine Schwester, die schwarze Pussycat.

Helle Aufregung bei meinen Menschen. Jetzt musste gehandelt werden. „Weißt du, Tizian, die Tigris hätte ich nicht so einfach in einen Transportkorb setzen können. Sie hätte mich zerkratzt und gebissen. Ich musste sie mit einer Katzenfalle einfangen, um sie zum Tierarzt zum Kastrieren zu bringen. Sie war so wild, dass der Arzt sie mit dem Blasrohr betäuben musste."

Meine Hochachtung Tigris, dachte ich an dieser Stelle. Die Besuche beim Tierarzt, die hasse ich auch wie die Pest. Aber Wildheit bis zur Blasrohrbetäubung, nein, zu so einer Leistung habe ich es nie gebracht.

Nun, da es für Tigris nach einem langen Leben voll Geburten und Säugen mit den Mutterpflichten vorbei war, wurde sie immer zutraulicher. Sie kam durch die Katzentür in den Keller und machte es sich dort gemütlich. Sie wagte sich zwar nie in die Wohnräume hinauf, aber der Keller war geheizt und es ging ihr gut.

Bis sie einmal für zwei Wochen verschwand. Als sie wieder auftauchte, sah man, dass es ihr sehr schlecht ging. Sie lag im nassen Gras vor der Katzentür, sie war wohl zu schwach, diese aufzustoßen.

Meine Zweibeinerin hörte ihr leises Klagen, trug sie in den Keller und legte sie in einen Korb mit weichen alten Decken. „Weißt du, Tizian, die Tigris ist damals heimgekommen zum Sterben."

Sie hielt die Katze beim Brustkorb und spürte ein ängstliches, unregelmäßiges Herzklopfen. Sie hielt sie eine ganze Weile. Dann drückte sie das kleine Wesen noch etwas fester. Plötzlich wurde der Herzschlag ruhig: klopf, klopf, klopf. Und noch etwas ruhiger, fast melodisch sanft: klopf, klopf, klopf. Und schließlich ein letztes Mal: klopf.

„Weißt du, Tizian, es war vorbei. Von einer Sekunde auf die andere. Es ist nicht wirklich zu begreifen. Einfach so aus. Grade noch Leben und dann schon nicht mehr Leben. Derselbe Körper. Aber nicht mehr unsere Tigris.“

Tizian, der Kater ohne Furcht und Adel

Teil eins: Tizian, der Kater ohne Furcht

Furcht? Nein, dieses Wort kenne ich nicht. Vorsicht vielleicht, Klugheit, Abwägen, aber nicht Furcht.

Wovor sollte sich denn so ein mutiger Haudegen wie ich auch fürchten?

Vor den Hunden? Ja, das denken die lieben Menschen gerne. Sie glauben, dass wir nur wie Hund und Katz miteinander können. Dass wir, erst einmal dem bösen Wolf, Pardon: dem Hund ausgeliefert, sogleich unser letztes Stündlein schlagen hören. Doch glauben Sie mir, wir Katzen wissen sehr wohl mit Hunden umzugehen. Besser, als es sich mancher Hund träumen lässt.

Denken Sie nur an David und Goliath. Ich weiß schon, der Vergleich hinkt ein wenig, denn es gibt Hunde, die sind kleiner als ich. Aber bleiben wir beim Durchschnitt: Hier der große Hund, da die kleine Katze.

Immer auf die Kleinen, heißt es. Doch wir, die Kleinen, die Katzen, wir lassen uns nicht so leicht etwas gefallen. Die Natur hat uns nämlich mit wunderbarem Werkzeug ausgerüstet: Krallen an jeder Pfote! Und die sitzen, wenn nötig, punktgenau beim Gegner.

Und das spüren die Hunde nur zu deutlich!

Immer wieder erzählt mir die Frau, die brav meine Katzenfutterdosen im untersten Regalfach in der Küche stapelt, die ungewollte Nahkampfgeschichte zwischen Valerius, ihrem damals noch ganz jungen Cockerspaniel, und der Hauskatze im legendären Café Klinik in Wien. Die Katze, vielleicht war es auch ein Kater, hatte dort unbestrittene Territorialgewalt. Der Hund war zu Besuch. Er sah die Katze. Er dachte bei ihrem Anblick an einen feinen neuen Spielkameraden. Dumm, wie halt nur junge Hunde denken können, die noch vertrauensselig an das Gute in der Welt und in uns Katzen glauben.

Die Katze saß mitten im Raum. Der Hund lief hin und wollte mit ihr spielen. So schnell konnte er gar nicht schauen, schon gab ihm die samtpfötige Hausherrin eine schallende Ohrfeige mit krallenbewehrter Pfote. Der Hund blutete auf der Schnauze und lief winselnd zu der Frau, zu der man damals nach üblichem Sprachgebrauch noch Fräulein sagte. Suchte also Schutz bei dem Fräulein, das seine Hundefutterdosen in großen Mengen heimschleppte. (Chappi hieß das Zauberwort und wurde zum Synonym für Fressen schlechthin.)

Die Katze saß weiterhin mitten im Raum, völlig gelassen, und schleckte sich die Kampfestatze. Die Gäste hatten alles mitbekommen. Gut, dass der Hund das Wort Blamage nicht kannte. Jedenfalls hatte er seine Lektion gelernt und fortan großen Respekt vor kleinen Katzen. Auch war er für jedwede zukünftige Freundschaft zwischen Hund und Katz unbrauchbar geworden, weil traumatisiert. Er ging den Minitigern zeitlebens aus dem Weg.

Die Krallen sind unsereinem aber auch eine große Hilfe bei jener Taktik, die da lautet: Ist der Gegner zu mächtig, dann renn einfach, was das Zeug hergibt.

Dieses Wegrennen hat nichts mit Furcht oder Feigheit zu tun, sondern mit dem klugen Einschätzen einer heiklen Situation. Für Menschen wäre es auch oft besser, sie würden Auseinandersetzungen aus dem Weg gehen, würden Fersengeld geben, anstatt unnötig den Helden zu spielen.

Befinden wir uns also in einer Situation, wo wir unser Heil nur noch in der Flucht finden, dann verschaffen uns auch da unsere Krallen ungeahnte Vorteile. Er mag noch so schnell unterwegs sein, der Schäferhund, der Border Collie oder der Pudeldackelboxermischling, er ist halt doch nur renntrainiert in der Horizontalen, wohingegen wir Katzen uns bei der nächsten Baumgelegenheit vertikal vertschüssen. Sprung, Satz und Sieg, schon sind wir oben im Baum, mitten im Geäst, wenn es sein muss auch oben auf der höchsten Spitze. Dort thronen wir wie die Sieger. Nicht, dass wir den Kläffer unten auslachen würden. Wir behalten auch in diesem Spiel unser Pokerface. Aber unsere ganze Haltung drückt aus, was wir denken: Ätsch!

Noch eine weitere Furcht ist uns Stubentigerchen unbekannt: die Angst vor der Zukunft, die Angst vor all diesem Was-ist-Wenn.

Besonders von den weiblichen Zweibeinern höre ich immer solche Sätze: Was ist, wenn etwas im Job schief läuft? Was ist, wenn ich bei dieser Präsentation krank bin? Was ist, wenn es morgen bei dem Fototermin regnet?

Meine Lieben, das sind alles Sorgen, die ihr euch schon heute über mögliche Probleme von morgen macht. Es reicht, wenn ihr euch dann Sorgen macht, wenn das Problem tatsächlich da ist. Wie oft habt ihr euch schon geängstigt vor Dingen, die nie eingetroffen sind.

Macht es doch mir nach. Wir Katzen haben keine Zukunftsangst. Wir sind nicht heute schon ganz von den

Pfoten, nur weil möglicherweise morgen kein Futter in der Schüssel sein könnte. Könnte – man beachte den Konjunktiv.

Ich fresse mich heute satt, mehrmals. Und ich gehe davon aus, dass es morgen genauso sein wird. Sollte es morgen anders sein, ist morgen noch genug Zeit, das Problem zu lösen. Dann mache ich sowieso Katzenterror auf der ganzen Tizianlinie: mit Kratzen, Miauen und Unleidlich-Sein. Dann wird mein Problem ehestens behoben. Schüssel gefüllt, Tag gerettet, Kater versöhnt.

Teil zwei: Tizian, der Kater ohne Adel

In Deutschland dürfen Grafen und Fürsten ihre Titel tragen. Weder ist dadurch das Abendland vom Untergang bedroht, noch die Demokratie gefährdet, noch die Republik in Bedrängnis.

In Österreich ist das mit dem Adel ein heikleres Thema. Zwar wimmelt es hierzulande nur so von Vonundzus, doch laut schreiben darf man die Titel nicht. Meine Zweibeinerin ist Journalistin und sie könnte Ihnen zu diesem Thema einiges erzählen.

Aber sie ist jetzt nicht am Wort. Es geht hier um mich und um den Katzenadel. Damit sind die Rassekatzen gemeint.

Persönlich kenne ich nur eine einzige Rassekatze. Das ist die Lady. Unsere Nachbarfamilie gehört zu ihr. Sie ist ein scheues Wesen, ein Federgewichtchen, rauchblau, langhaarig und plattnasig.

Als Rassekatze hat sie einen Stammbaum und ist irgendwo in einem Zuchtbuch eingetragen. In diesem

Buch steht sicher ein hochtrabender Name. So etwas in der Art von Gwendolyn Felicity, Lady von Underuppereasterside. Gerufen wird sie jedoch schlicht nur Lady. (Was übrigens sehr gut zu ihrer feinen englischen Art passt.) Das ist beim Katzenadel nicht anders als bei den Menschen. Da mag ein Fürstensohn laut Taufregister Georg Friedrich Karl Ottokar heißen – seine Familie und die Freunde rufen ihn dennoch nur Pimpi, Pipsi oder so.

Rassekatzen, die etwas auf sich halten (die Formulierung ist ironisch gemeint – ihre Besitzer sind es, die etwas auf die Katzen halten und deshalb das ganze Theater inszenieren), müssen Ausstellungen, Bewertungen, Beurteilungen über sich ergehen lassen.

Sie werden öffentlich zur Schau gestellt, fremde Menschen, die man Juroren nennt, greifen sie an, begutachten und bewerten sie nach Kopfform, Körperbau, Fellfarbe, Augenschnitt und so der Schönheitsattribute mehr.

Die Beauty, die kein Biest sein darf, wird geföhnt, gebürstet, gepudert, manchmal werden ihr sogar die Haare toupiert. Und sie muss brav und geduldig sein.

Die Lady schleppt man nicht zu Ausstellungen. An Wochenenden, wo andere Rassekatzen stundenlang präsentiert werden, liegt sie gemütlich auf den Sofakissen der Gartenbank und blinzelt hin und wieder zu mir herüber. Wir sind uns einig – Pokale gehören nicht zu unserem Lebensziel. Die sind ja noch nicht mal aus Wurst oder Schinken!

Was mich betrifft, den unübertrefflichen Tizian, „die Legende“, wie mich eine Leserin meiner Zweibeinerin bezeichnet hat – mich werden Sie in keinem Zuchtbuch finden. Ich bin ganz und gar stammbaumlos. Ich bin nur so ein Dahergelaufener, ein Nullachtfünfzehnkater, ohne Furcht zwar, wie Sie wissen, aber auch ohne Adel.

Ich bin kein Siamkater und kein Maine Coon, kein Kartäuser, kein Norwegischer Waldkater, kein Abessinier, kein Perser, kein Colourpoint, kein Hängeohrkater, den man vornehm Scottish Fold nennt. Ich bin ich. Das muss reichen.

Einmal hat die Frau, die das Geld für mein Futter verdient, etwas in dieser Tonart in der Zeitung geschrieben. Daraufhin rief ein Züchter an und fragte, ob die Katze vom Foto neben dem Text ich sei. Meine Zweibeinerin bejahte.

„Aber dieser Kater ist doch perfekt gezeichnet (Hört! Hört!). Dieses große M auf der Stirn, die harmonische Kopfform, die grünen Mandelaugen. Mit dem könnten Sie ruhig an unserer Ausstellung teilnehmen. Der hätte in der Kategorie ‚normale Hauskatze' gute Chancen."

Die Frau, die es hasst, mich im Transportkorb durch die Gegend zu schleppen, winkte dankend ab. Mit mir ist nämlich schon die Fahrt zum Tierarzt ein rechter Horrortrip. Ich plärre da durchgehend und laut wie ein Kleinkind.

In der Ausstellung, nicht anders als beim Arzt, würde ich mich weigern, meinen Korb zu verlassen. Man müsste mich mit Gewalt herausziehen. Glauben Sie mir – da würde Blut fließen. Natürlich nicht meines.

Kein Juror würde mir auch nur einen Punkt geben. So ein wilder Rabauke wie ich würde sofort disqualifiziert.

Vergessen wir das. Mich muss man nehmen, wie ich bin. Tizian bleibt ungeadelt. Nur zum Ritter der Tafelrunde (Mmmhm! Tafelfreuden!) dürfen Sie mich imaginär schlagen.

Tizian – eine lebende Erbschaft

Im Grunde meines phlegmatischen Katerherzens ist es mir völlig egal, wer mich zu meiner Menschenfamilie gebracht hat.

Hauptsache ich bin, wo ich bin, und das ist in erster Linie bei der Frau, die meine Katzenfutterdosen heimschleppt. Würde jemand anders sich genauso brav um mich sorgen – mein Herz wäre ein Vogel. Denn von dem Gelaber in Sachen Hundetreue habe ich sowieso die Katerschnauze voll. Nun, da aber alles vorzüglich nach meiner Regie klappt, habe ich keinen Grund, meiner Zweibeinerin die Illusion zu rauben, dass sie mir mindestens so viel bedeutet wie ich ihr.

Grübeleien der Art „Woher kommen wir? Wohin gehen wir? Warum leben wir?" sind mir fremd. Irgendwoher bin ich gekommen, sonst wäre ich nicht hier. Das muss reichen. Wohin ich gehe? Bei mir führen alle Wege zur Futterschüssel. Damit ist auch schon die Frage beantwortet, warum ich lebe: Mein Daseinszweck sind Maus und Speck.

Im Gegensatz zu mir kann sich meine Zweibeinerin noch fast in allen Einzelheiten daran erinnern, wie ich in die Familie kam. Ich habe Ihnen auch davon erzählt, allerdings nicht so genau im Detail, sondern mehr im Stil Herz & Schmerz, schließlich sollte ich ja „verräumt" werden, hätte sich kein Platz für mich gefunden. (Verräumt! So reden manche Menschen, wenn es um das Töten von Tierbabys geht.)

Zu verdanken habe ich mein Leben ja einem Sohn der Familie. Also bin ich, vom Eigentumsverhältnis her betrachtet, „sein" Kater. Das sagt zumindest meine Zweibeinerin. Das ist jedoch katzenlogisch blanker Unsinn, denn die Besitzverhältnisse zwischen Mensch und Katze sind immer umgekehrt. Also wenn schon: Dieser Sohn gehört zu mir.

Aber auch diese Wortklauberei ist mir nicht wichtig.

Meine Zweibeinerin sagt manchmal zu mir: „So! Und wie lange ist das jetzt schon her, dass dein Herrchen das Katzenklo sauber gemacht hat? Oder Futter für dich heimgetragen hat?"

Als ob ich mich für solche Unwichtigkeiten interessieren würde! Hauptsache, der Haushalt rennt. Wer dabei für mich rennt, ist mir egal.

Außerdem: Der junge Mann, den meine Hauptversorgerin so sarkastisch ins Visier nimmt, lebt jetzt ein paar Autostunden von uns entfernt. Nur ich bin meiner Zweibeinerin erhalten geblieben.

Ich bin eines jener zahllosen Tiere, die den „Empty Nesters" als lebende Erbschaft bleiben, wenn die Jugend, flügge geworden, das Kinderzimmer (das Nest) verlässt, um auf eigenen Beinen zu stehen.

Die Kinder gehen, die Tiere bleiben.

Es gibt jede Menge solcher Erbschaften (auch wenn das Wort Erbschaft nicht ganz korrekt ist, da sich der Erblasser ja bester Gesundheit erfreut):

Mäuse, Ratten, Meerschweinchen, Hasen, Goldhamster, Wasserschildkröten, Agamen, Katzen, Hunde, Pferde, Affen. Die Liste ist gewiss nicht vollständig, versteifen sich manchmal Kinder ihren Eltern gegenüber sogar erfolgreich auf Spinnen und Schlangen.

Katzen und Hunde sind natürlich die Spitzenreiter

unter den lebenden Erbschaften. Siehe mich, den wunderbaren Kater Tizian.

Oder die vielen Flockis, die von den meist weiblichen Empty Nesters spazieren geführt werden. „Eigentlich gehört der Flocki ja meiner Tochter (meinem Sohn). Aber wo soll sie (er) denn hin mit dem Hund in der WG (in dem kleinen Studentenzimmer)?"

Meine Zweibeinerin sagt immer: Wehret den Anfängen! (Nach diesem Grundsatz verbietet sie mir jegliches, auch noch so kurzfristiges Verweilen in ihrem daunenweichen Bettchen). Soll heißen: Erlaube deinen Kindern kein Tier, wenn du es nicht auch haben willst. Denke ein paar Jahre voraus und wisse, dass du das Tier behalten wirst, wenn das Kind auszieht.

Kinder versprechen treuherzig und durchaus mit besten Vorsätzen das Blaue vom Himmel, wenn sie ein Haustier ertrutzen wollen: „Ich werde immer mit ihm Gassi gehen. Ich werde ihn immer füttern. Ich werde immer zum Tierarzt gehen." Sogar: „Du kannst dafür was von meinem Taschengeld haben." Sobald das Tier im Haus ist, ist die Mutter froh, wenn das Kind wenigstens einen Teil seiner Versprechen hält. Und wenn das Kind aus dem Haus ist, ist die Mutter froh, wenn ihr wenigstens noch das Tier bleibt.

„Weißt Tize, ich kenne schon wieder zwei Frauen, die werden demnächst eine lebende Erbschaft machen. Sie wissen es zwar noch nicht, das heißt sie glauben es noch nicht. Aber du wirst sehen, ich habe Recht!"

Na, denke ich, was soll den beiden schon Besseres passieren, als dass sie – nur so zum Beispiel – ein Goldstück wie mich, einen echten Schatz also, erben.

Bleiben wir bei mir – der Vergleich mit dem Menschennachwuchs macht sicher: Ich bringe keine schlechten Noten nach Hause. Ich rauche nicht heimlich am Klo. Ich vertelefoniere nicht die halbe Miete mit meinen Freundinnen. Ich betrage mich, ein närrisches Viertelstündchen pro Tag ausgenommen, höchst würdevoll. Ich schreie nicht ständig nach Markenklamotten. Ich fahre das Familienauto nicht zu Schrott. Ich fordere nie Taschengelderhöhung. Ich mache keinen Radau im Kinderzimmer. Ich spiele nicht so laut Musik, dass man der Frau, die die Miete für mein Zuhause bezahlt, mit der Kündigung droht.

Ich schlage mir zwar auch gern die Nächte um die Ohren, aber bei mir ist das Arbeit, nicht Vergnügen, und dabei bin ich immer auf null Promille.

Und obwohl ich ein Wesen der Stille bin, sorge ich bei meiner Zweibeinerin dafür, dass es ihr im Empty Nest nicht gar zu still wird.

Nur eine kleine weiße Maus

Weil wir vorhin gerade beim Thema Kinder und Tiere waren: Ich habe diesbezüglich schon leidvolle Erfahrungen gemacht.

Einerseits wollen uns diese Minimenschen vor lauter Liebe zu Tode streicheln. Andererseits sind sie oft hundekalt mit uns.

Nehmen wir die Jüngste meiner Familie. Sie war so begeistert bei meinem Anblick, dass sie mich am Schwanz hochhielt. Ich, ihre Trophäe!

Dass das Kind damals noch sehr klein war, zählt bei mir nicht als Entschuldigung. Ich war ja damals auch noch ein ganz kleines Katerkind. Jedenfalls blieb unsere Beziehung auf Jahre hinaus höchst zwiespältig.

Nur so ist es zu verstehen, dass das Kind ein paar Jahre nach meinem Einzug in die Familie meine Zweibeinerin anbettelte:

„Mama, ich will ein Kätzchen!"

„Aber Kind, wir haben doch unseren Tizian!"

„Das ist kein Kätzchen. Der mag mich nicht."

„Die Zuneigung der Tiere wächst nicht auf den Bäumen. Die muss man sich schon verdienen. Sei lieb mit ihm und er wird auch lieb zu dir sein."

Natürlich gab es kein Kätzchen für die Jüngste.

Heute ist die Jüngste eine junge Dame. Sie versorgt mich manchmal, wenn meine Zweibeinerin unterwegs ist. Sie hält mich satt und sauber. Sie hält mich auf dem Schoß und krault mir den Nacken, jeden Tag bei GZSZ. Spät, aber doch, haben wir zueinander gefunden.

Der zweitälteste Sohn des Hauses hatte auch eine Zeit lang diese „Ich will ein Tier“-Phase.

Zuerst wollte er einen Hund. „Kind, wir haben doch ständig Katzen ums Haus. Wie soll das denn gehen?“, war die Antwort der Frau, die damals noch nicht wissen konnte, dass in naher Zukunft, ich, der Kater Tizian, ihren Alltag bereichern würde.

„Dann will ich wenigstens eine weiße Maus!“

Meine Zweibeinerin sträubte sich.

Ihr schien die Kombination Katze und Maus nicht ideal.

Ich hingegen, der ich heute weiß, dass ich bei meinem Einzug in die Familie dieses weiße Mäuslein höchstwahrscheinlich noch bei bester Gesundheit angetroffen hätte, ich bedaure die Mausverweigerung heute noch.

Stellen Sie sich doch diese beiden Verlockungen vor: Goldfische (ich erzählte Ihnen bereits davon) und eine Maus – Futter satt im Jugendzimmer. So verschlossen hätte der Junge die Tür gar nicht halten können, dass mir da nicht ein Supercoup der Marke „Die Katze lässt das Mausen nicht – und die Goldfische sind die Zuwaag“ gelungen wäre.

Es kam keine weiße Maus ins Haus.

Wochenlang schrieb der verhinderte Mäusebesitzer (er hatte schon Streu für den Mäusekäfig in der Garage deponiert) kleine Zettel und schob sie zwischen die Seiten der Bücher, die seine Mutter, heute meine Dosenfutterschlepperin, gerade las. Darauf standen Sachen in der Art wie:

„Und ich krieg doch meine weiße Maus!“

„Du wirst schon sehen, die weiße Maus kommt!“

Diese beiden Zettel sind bis heute erhalten geblieben. Meine Zweibeinerin hütet sie inzwischen wie Reliquien einer versunkenen Zeit. Ganz traurig wird sie, wenn ihr diese Zettel gelegentlich wieder unterkommen.

„Ach Tizi, ich hätte ihm die weiße Maus erlauben sollen. Aber damals war mein Leben so voll und so viel, die Kinder, die ständigen Gästekinder, das große Haus, der Garten, die Arbeit. Doch heute weiß ich: Eben weil so viel los und zu tun war, wäre es auf eine kleine weiße Maus auch nicht mehr angekommen. Sie war ihm damals so wichtig, diese Maus. Es tut mir so Leid, dass ich in meinem Lebenstrubel seine Gefühle nicht ernst genug genommen habe.“

Ich pflichte der Frau bei. Allerdings nicht aus hehren pädagogischen Überlegungen, sondern, wie oben schon gesagt, weil eine Maus im Haus für mich das höchste der Lustgefühle ist.

Der junge Mann ist heute ein ordentliches Mannsbild. Ganz und gar erwachsen. Was wäre, würde ihm meine Zweibeinerin heute eine weiße Maus schenken? Aus dem Wiedergutmachungsfonds für vorenthaltene Glücksgefühle?

„Danke, kein Bedarf“, würde er sagen. Ich kenne ihn gut. Wir sind sozusagen Kumpel, wir zwei.

Und er würde, in Unverständnis seiner eigenen Kindheitssehnsüchte, denken (sagen würde er es nicht, er ist gut erzogen): Schon recht verwirrt, die alte Mutter. Was soll ich bloß mit einer Maus?

Am nächsten Tag würde die Maus ins Tierheim wandern.

Maus. Aus. Kränkungen der Vergangenheit kann man eben nicht heute heilen.

Tizian und die Muse der schrägen Töne

Weder kenne ich mich in Harmonielehre aus, noch kann ich eine Note zu Papier bringen, nicht mal eine halbe. Dabei soll es Noten sogar in Viertel-, Achtel- und Sechzehntelausführung geben. Solche primitiven Hilfsmittel brauchen nur die Menschen. Wir Katzen sind Naturtalente in der Kunst von Dur und Moll. Wir benötigen keine Partitur, wenn wir uns ins Reich der Töne begeben.

Bedenken Sie doch: Wir sind derart musikalisch, dass man eine eigenständige Kunstform nach uns benannt hat – die Katzenmusik.

Wer im Tierreich hat es sonst noch zu solchem Ansehen gebracht? Vielleicht meine Lieblingsbeute, die Vögel mit ihrem Gezwitscher. Aber Musik nennen das die Menschen ja doch nicht.

Katzenmusik bleibt uns vorbehalten. Und wir machen dieser Bezeichnung alle Ehre. Nehmen Sie mich. Ich bemühe mich aus voller Kehle, dem gerecht zu werden.

Schade, dass Sie in bestimmten Nächten, wenn mich die Muse der schrägen Töne küsst, nicht in unserer Straße nächtigen. Da könnte ich mir nämlich jetzt die Schilderungen ersparen. Sie hätten mich live erlebt und ein einziger Tizianschrei, geboren aus der Lust der Disharmonie, sagt mehr als tausend Worte. Daneben wirken Pop, Rap und Grunge wie Säuseln aus Urgroßmütterleins Spieldose.

Das Schöne an dieser Art des Musizierens: Es ist chorfähig. Wo man doch von uns Leisetretern immer behauptet, wir wären die geborenen Einzelgänger.

Natürlich kann ich ein Solo geben. Aber das ist nicht der Katzensinn der Sache. Wir Samtpfoten singen gerne gleichzeitig, um unsere Reviere gegenseitig abzugrenzen, einen möglichen Lover, eine Loverin aus dem Chor zu beeindrucken oder einen Rivalen abzuschrecken.

Es gelingt uns spielend, mit einem, meist mitternächtlichen Gesangswettstreit, eine ganze Gasse in Aufruhr zu versetzen. Wie erst letztens, als ich, der schwarze Rudi mit dem Schlappohr, die schüchterne Lissy und der gestromte Emil uns zum Musizieren einfanden.

Wir waren unbeschreiblich gut. Und so variantenreich. Mal sangen wir hoch, mal tief, mal gellend, mal jammernd, mal klagend. Auch die Version „Babygeschrei" hatten wir drauf und das „Wolfsgeheul" in Katzenübersetzung. Die Choreographie war perfekt. Zeitweise sangen wir alle gleichzeitig. Welch intensives Musikerlebnis! Dann wiederum brillierten wir in Soli oder intonierten einen Katzenkanon. Alle Möglichkeiten unter dem Zeichen des Katzenviolinschlüssels.

Dabei mögen Sie bedenken, dass wir Musikanten uns einen Katzendreck um das Publikum scheren. Wir sind keine eitlen Sänger, die nach Applaus heischen. Wir machen unsere Musik um der Musik willen.

Umso ärgerlicher, dass es nicht ohne Publikum abgeht. Wir könnten gut darauf verzichten. Aber man fragt uns nicht.

Das Menschenpublikum ist nämlich ohne Ausnahme (ich nehme auch die Frau nicht aus, die mir so oft das Goderl kratzt, unter welchem meine genialen Stimmbänder liegen) eine Gesellschaft von Kulturbanausen.

Durch die Bank lauter Ignoranten, die von unserer Kunst weniger als Null-Komma-Murli verstehen.

Auch bei unserem Konzert unlängst öffnete sich alsbald das erste Fenster: „Verschwindets! Aber dalli, dalli!" Das war die nette Frau, an deren Fleißigen Lieschen ich manchmal schnuppere und die dann zu mir sagt: „Ach, was bist du denn für ein liebes Kätzchen! So ein rotes Tigerchen möchte ich auch noch einmal haben!" Da mag die Frau flöten, soviel sie will – sie ist keine Musikkennerin.

Das zweite Fenster wurde aufgerissen: „Weg da, ihr Bande!" Keine roten Rosen streute man uns, ein dicker Katalog flog in unsere Richtung.

Aus dem dritten Fenster schrie jemand: „Schluss mit dieser Katzenmusik! Das geht doch auf keine Kuhhaut!" Kein Teddy wurde uns zugeworfen. Dabei weiß ich genau, dass Popsternchen nach ihren Konzerten körbeweise Teddys, Geschenke ihrer Fans, heimschleppen. Wir hätten als Wertschätzung ohnehin lieber eine Knackwurst. „Wartets nur! Ich komm gleich mit dem Gartenschlauch!" Ja bitte, danke, dachte ich, wir sind doch hier nicht bei der Feuerwehr!

Aus dem vierten Fenster kam es ganz grob: „Mit euch werde ich schon noch ein Hühnchen rupfen!"

Statt Dank nur Schimpftiraden. Statt Gage nur Gekeppel.

Lassen Sie mich also lieber zwar nicht das Thema, aber die Sichtweise darauf wechseln. Katzenmusik der anderen Art. Meine Zweibeinerin surfte im Internet: „Tiziwitschi, stell dir vor, wie verrückt die Menschen sind." Und sie las mir vor:

„Schenken Sie Ihrer Katze ihre Lieblingsmusik: Wir präsentieren die ersten Musik-CDs für Katzen und Katzenbesitzer! Wissenschaftlich getestet, von Tierpsychologen empfohlen! Ein besonderes Geschenk für Ihre besten Freunde!"

Ich habe meiner Zweibeinerin mit erhobener Pfote gedroht: Kauf mir ja nicht so eine CD! Kauf mir lieber Futter, Futter, Futter!

Außerdem, es war in den vorigen Zeilen nicht zu überlesen, stehe ich sowieso nur auf Live-Musik. In meiner Wohnung befindet sich ein Klavier. Da drauf haben die Kinder meiner Familie jahrelang geübt, manchmal auch schon richtig gespielt. Hin und wieder hat man sie mit den Worten „Mach doch nicht so eine Katzenmusik!" getadelt. Für mich unverständlich. Kaum zeigt sich wo Genie, schon wird es niedergebügelt.

Die Jugend ist außer Haus, das Klavier schweigt. Doch ich will nicht, dass es bei mir und meiner Zweibeinerin gar zu still wird. Also haue ich mich manchmal über die Tasten, über C und D und Fis und so, eingestrichen, zweigestrichen. Wenn es sein muss, auch mal die ganze Tonleiter rauf und runter, immer hübsch Pfote vor Pfote gesetzt. Klingt schon fast zu harmonisch für meinen Geschmack.

Dann das Höchste meiner Tonkunst auf dem Pianino: Ich lege mich quer über die schwarzen und weißen Tasten. Das gibt einen Lärm, wunderbar. Dieses Klangvolumen! Und jedes Mal wenn ich meine Lage auch nur um eine Katzenhaarkleinigkeit verändere, tönt es Ping-Ping oder Brumm-Brumm.

Katzenmusik der feinen Salonart!

Um die Pfote gewickelt

Ich bin der König der Schmeichler. Glauben Sie mir, keiner kann das so gut wie ich. Geboren unter dem Stern der Sanftheit, behütet vom Aszendenten der Zärtlichkeit, beherrsche ich von klein auf die Kunst, meine Menschen um die Pfote zu wickeln. Um das zu erreichen, was ich mir wünsche.

Ich bin nicht der fordernde Typ. Nicht dieser „Ich-muss-haben-und zwar-sofort"-Macho. Kein Knurrer, kein Droher, kein aggressiver Lümmel. Ich bekomme, was ich will, auf meine sanfte Art.

Nehmen Sie mein stets ungebrochenes, nie für längere Zeit zu stillendes Verlangen nach Huhn, Wild und Rind in delikater Dosenzubereitung.

Nicht schon wieder das Thema Fressen, höre ich die Frau sagen, die für das Kaufen der Dosen zuständig ist. Ich finde, aus ihrem Mund ist diese Aussage ein Widerspruch. Zuerst schleppt sie jede Menge Katzenfutter heim, dann regt sie sich auf und behauptet, ich wäre ein nimmersatter Gierschlund.

Doch, doch, schon wieder Futter! Bei den Menschen, so heißt es, gäbe es auch nur ein Lebensthema: die Liebe.

Damit kann ich nicht dienen, zumindest nicht mit der Liebe im engeren Sinn. Da hätte man mich nicht kastrieren dürfen. Ein guter Lover wird nicht fett, sagt man. Na eben! Ich bin kein Lover. Also lasst mich fressen!

Um des Schlaraffenlands Herrlichkeiten abzurufen, wende ich alle meine Schmeicheltricks an.

Ich streiche sanft um die Beine meiner Futterlieferantin. Sie trägt meistens dunkle Hosen. Da drauf machen sich meine wundervollen tizianroten Haare sehr gut. Man kann genau ablesen, wie groß ich bin – ich reiche bis zur halben Wadenhöhe.

Ich wusle weiter und weiter zwischen ihren Beinen herum, bis sie über mich stolpert und ärgerlich wird. „Tizian, hör auf!"

Ich ändere meine Strategie. Ich setze mich neben die Futterschüssel und lege noch etwas drauf in Sachen Sanftmut. Ich werfe ihr diesen „Du-wirst-doch-nicht-so-hartherzig-mit-mir-sein"-Blick zu.

Meist nützt das auch noch nichts. Die Frau kann so stur sein, kaum zu miauen. Ich lege den Turbo ein. Ich spekuliere mit dem Mitleidseffekt, mancherorts auch Hascherlmasche genannt. Ich hebe sacht die Pfote und lege sie auf den Schüsselrand. So hocke ich da, traurig, hungrig, mit der Pfote auf der leeren Schüssel. Kein verhungerter Kater irgendwo in Afrika, eine Hauskatze in Europa, daheim bei Menschen, die angeblich nur ihr Bestes wollen.

Der Erfolg ist mein! Niemand kann dieser gekonnten Bettelei widerstehen. „Meine Güte", sagen Besucher, die zufällig Zeugen dieser Szene werden. „Kaum zu glauben, wie klug dieses Tier ist. Es zeigt ja richtig, was es will."

Auf diese Tour bekomme ich sogar meine Zweibeinerin weich, ein wenig zumindest. Obwohl sie mich natürlich durchschaut, obwohl sie mir bis in den Bauch schaut und genau weiß, wie viele Kalorien zu viel ich an diesem Tag schon verdrückt habe.

„Also ein wenig Trockenfutter. Okay, Tizian?"

Ich tue so, als würde ich mich mit den Brosamen zufrieden geben. Fürs Erste. Ich kaue und knacke, ich putze die Schale restlos leer und gebe für ein Weilchen Ruhe.

Dann starte ich meine Bemühungen im Kampf gegen die Magersucht von neuem. „Zum Verzweifeln ist das mit dir!“, sagt meine Zweibeinerin. Und wenn schon, denke ich. Besser sie verzweifelt, als ich verhungere.

Was ich Ihnen mit dieser Geschichte sagen will: Mit Speck fängt man Mäuse und mit Sanftmut wickelt die Katze den Menschen um die Pfote.

In meinem Kuschelrepertoire habe ich noch ein Trumpfass: das Schnurren! Wenn wir Katzen das einsetzen, schmelzen unsere Zweibeiner dahin. Warum? Das kann ich nicht sagen. Das können ja noch nicht einmal die Menschen selbst erklären.

Vielleicht liegt es daran, dass es an eine Zeit erinnert, als noch die Spinnräder in den Stuben surrten. Schnurr, schnurr, schnurr. Ich finde, mein Schnurren klingt eher nach mrrr, mrrr, mrrr. Aber das ist Ansichtssache. Die Engländer malen diese Laute mit purr, purr, purr nach. Schnurregal – ein Kater wie ich ist sowieso ein internationales Tier, ein Kosmopolit, den man allerorts in allen Sprachen versteht: miau-miau und schnurr-schnurr.

Wo immer ich mich herablasse, meinen Schnurrmotor anzuwerfen, bezaubere ich die Leute ringsum. Das war schon immer so in der tausendjährigen Katzengeschichte. Deshalb hat man sowohl in den finsteren Zeiten des Mittelalters als auch in der aufgeklärten Neuzeit immer wieder vergebens versucht, das Hexending, das schnurren kann, in uns ausfindig zu machen. Man hat Tausende von uns barbarisch getötet und danach seziert. Irgendwo musste er doch sein, dieser Apparat, der die

Menschen milde stimmt, der sie fast süchtig werden lässt.

Sie und ich, wir wissen es: Man wurde nie fündig. Es gibt keinen Apparat und keinen Motor, die unser Schnurren hervorbringen. Und die Moral von der Schnurrgeschichte: Man soll nicht versuchen, Geheimnisse zu entzaubern.

Meine Zweibeinerin hat noch nie überlegt, wo mein Schnurren herkommt. Sie genießt es einfach.

Meist beginne ich mit der leisen, fast unhörbaren Variante. Es amüsiert mich, wenn sie sich dabei über mich beugt, ihr Gesicht ganz nahe an meinem Körper, und fragt: „Na Tizikatzi, schnurrst schon?" Dabei hört sie nicht auf, mir mit gespreizten Fingern Bahnen ins Rückenfell zu ziehen. Oohh, das liebe ich besonders. Wirbelsäulengymnastik auf Katzenart: Wir strengen uns nicht an mit mühsamen Übungen, wir lassen machen.

Jetzt steigere ich mich und werde lauter. Je nach Qualität der mir verabreichten Rückenmassage bis zum Überdrüber-Schnurren. Das ist so laut, dass man es im Nebenzimmer hört. Manchmal hat es meine Zweibeinerin auch schon per Handy an ihre Kinder übermittelt. Das Mikro an meinen Pelz gehalten, schon hört man mich in ein paar Hundert Kilometern Entfernung. „Was sagst? Ist das nicht ein Prachtschnurrer?"

Am schönsten aber sind jene Momente, wenn es ringsum ganz still wird. Nur mein Schnurren, eine Melodie der Weltharmonie, ist noch zu hören. Und wir haben beide das Gefühl, dass in diesem Moment ein Engel durchs Zimmer fliegt.

Es soll Katzen geben, ja wirklich, ich habe davon gehört, also es soll solche unserer Art geben, die nie schnurren. Diese Minitiger mit der kalten Masche haben keine Ahnung, wie sehr sie sich selbst damit schaden. Denn einer Katze, die schnurrt, verweigert man keinen Wunsch.

Katzen, die nicht schnurren wollen, erinnern mich an griesgrämige Eigenbrötler. An Menschen, die glauben, alles im Leben allein machen zu können. Die sich von niemandem helfen lassen, vielleicht aus Angst, selber auch einmal etwas geben zu müssen. Im Alter sind sie dann meist einsam.

Wir Katzentiere verschenken unser Schnurren. Und bekommen reichlich dafür zurück.

Deshalb konnte ich es auch gar nicht glauben, als ich das erste Mal von einer Nichtschnurrkatze hörte. Meine Zweibeinerin erzählte mir die Geschichte. Sie ereignete sich vor meiner Zeit.

Pussycat, die Schwester von Billy, hatte Junge bekommen. Vier Stück, geboren im Puppenwagen, drei Schildpattkätzchen und ein schwarzer Panterkater. Der wurde Baghira gerufen. Sein Fell glänzte nämlich so tiefschwarz exotisch, dass man meinen konnte, er sei geradewegs dem Dschungelbuch entstiegen. Für seine spätere Besitzerin war er dann allerdings höchst bodenständig der Seppi.

Die vier Seidenpfötchen hatten eine Kinderstube, so warm und behaglich, dass man dabei automatisch das Schnurren lernt. Schon beim Trinken an Mamas Zitze schnurrschnurrschnurrten sie um die Wette.

Eine Frau kam, um eines der Kleinen mitzunehmen. Sie erzählte: „Wir hätten ja einen Kater bei meiner Mutter. Den könnten wir haben. Aber den kann man stundenlang streicheln, er schnurrt einfach nicht." Ich denke bei diesen Worten: Eine Katze, die nicht schnurrt, enthält ihren Menschen viel Glücksgefühl vor. Und sie betrügt sich selbst um den Triumph, ein genialer Menschenverführer zu sein.

Ich setze mein Schnurren nicht nur als Dankeschön und zugleich als Aufforderung zum Weiterstreicheln ein. Ich habe vielseitige Verwendung dafür.

Des Morgens, wenn sich die Frau, die meinen Schlafkorb immer hübsch fein mit Frottee auspolstert, nicht rechtzeitig erheben will, wenn sie, wie ich finde, ungehörig lang schläft und nicht schon beim lichten Tagesanbruch hopp-hopp aus den Federn hüpft, um mich zu umsorgen, beziehe ich Warteposition vor ihrem Bett. In Kopfhöhe. Wehe, wehe sie wagt auch nur ein ganz klein wenig zu blinzeln, schon ist sie verloren. Ich beginne im Nu mit meiner Strategie: Ich hebe an zu schnurren. So laut, dass sie nicht anders kann, als mir schlaftrunken über den Kopf zu streichen. An Weiterschlafen ist ab diesem Augenblick nicht mehr zu denken.

Ich habe die Frau wieder einmal, wie schon so unzählige Male im Laufe unseres Zusammenlebens, um die Pfote gewickelt.

Ich schnurre weiter, bis serviert ist. Sicher ist sicher. Sie möge sich das mit dem Dosenöffnen nur nicht anders überlegen. Ich schnurre auch während des Fressens. Dann ist vorübergehend Schnurrpause angesagt. Ein voller Bauch schnurrt nicht so gern.

Wir Katzen schnurren bei vielen Gelegenheiten, selbst in Situationen, wo es der Mensch nicht für möglich halten würde: bei schwerer Krankheit, auch beim Sterben. Das signalisiert dann: Ich bin friedlich gestimmt, ich vertraue meinem Schicksal, ich werde nicht dagegen ankämpfen.

Bei Tigris, der Streunerkatze, die zum Sterben zu meiner Menschenfamilie kam, war das so. Sobald meine

Zweibeinerin sie beim Brustkorb hielt, wurde ihr Atem ruhig und sie begann zu schnurren, tief und friedlich. Tigris wusste, dass sie sterben würde. Sie fügte sich darein. Sie fühlte sich behütet. Sie verabschiedete sich mit Schnurren von dieser Welt. Schnurren bis zum letzten Atemzug.

Köpfchengeben

Noch einen Weichmacher für Menschenherzen habe ich, einen, der garantiert nie seine Wirkung verfehlt: Ich gebe Köpfchen.

Hunde mögen Pfötchen geben. Für mich ist das nichts. „Tizian, gib Pfote!“ Nein, das passt nicht zu mir.

Ich reibe mit Hingabe mein Köpfchen an den Händen meiner Menschen, an ihren Hosenbeinen und Polstermöbeln, an Handtaschen, Rucksäcken, Turnschuhen, sogar an Türstöcken und Waschmaschinen. Ich habe nämlich Duftdrüsen an den Wangen und am Kinn. Mit denen verteile ich „Tizian Nr. 5“ gleichmäßig um mich. (Wie sonst als nach Chanel Nr. 5, dem Synonym für Parfum schlechthin, sollte meine Duftkomposition schon heißen!)

Ich habe auch Duftdrüsen an den Pfotensohlen. Die brauche ich besonders dann, wenn meine Zweibeinerin nach längerer Abwesenheit wieder heimkommt. Da lege ich nämlich eine superflotte Sohle aufs Parkett, soll heißen: auf den Vorzimmerteppich.

Dieser Freuden-Rap sieht so aus:

Meine Zweibeinerin sperrt auf. Ich spüre schon eine Weile vorher, dass sie im Anmarsch ist. Das ist Katzentelepathie, gewiss, das dürfen Sie mir glauben. Wir Katzen sind Wesen von einem höher entwickelten Gefühlsstern. Ich sitze bereits in Warteposition. Etwa so edel wie die große Sphinx von Gizeh.

Meine Zweibeinerin stellt die Tüten und Taschen ab. Ich strecke mich einmal kurz durch, dann werfe ich mich auf den Teppich und rappe, indem ich mich Pfote um Pfote weiterziehe, quer durch das Vorzimmer.

Dass durch dieses grandiose Schauspiel inzwischen der Vorzimmerteppich ein höchst eigenwilliges Muster an gezogenen Fäden hat, stört nur die Menschen in meiner Familie.

Abschluss der Zeremonie ist Köpfchengeben. Und all das, was so putzig aussieht, dass ich damit meine Menschen locker um die Pfote wickle, ist in Tizianwahrheit nichts anderes als ein Ritual, meine Herrschaftsansprüche anzumelden. Indem ich mein Tizianparfum versprühe, markiere ich, was mir gehört. Diesen Duft können die Menschen nicht wahrnehmen. Da stecken sie, evolutionsbedingt, noch in den Kinderschuhen der Sinnesentwicklung. Doch andere Katzenmitbewerber sind gewarnt: Das ist meins, meins, meins!

In meiner oft übertriebenen Markierungssucht steckt auch die vorwurfsvolle Frage: Warst du mir untreu? Und die Drohung an Kater Anonymus: Wehe dir, du vierbeiniger Halunke, der du dich bei meiner Zweibeinerin einschleimen möchtest! Dir werde ich zeigen, wer hier der Duftekater im Haus ist!

Bin ich nicht ein Kuschelchamp? Ich melde Besitz an mit den Gebärden der Zärtlichkeit. Kein anderes Wesen im Tierreich tarnt seinen Egoismus derart geschickt. Meine „Untertanen“ fühlen sich richtig gebauchpinselt. „Tizian, du bist ja so was von lieb!“

Tizian ist nicht WG-tauglich

„Eine WG gehört einfach zum Studentenleben“, sagte einmal ein Besucher zu meiner versammelten Menschenfamilie. Er stieß bei Alt und Jung auf taube Ohren. Er hatte einen Punkt angesprochen, bei dem er keinen Widerhall fand.

Keiner meiner Menschen ist, über das Familienmaß hinaus, wohngemeinschaftstauglich. Vielleicht mag ich sie deshalb alle so, jeden Einzelnen.

Ich bin auch nicht WG-tauglich. Ich bin der Herrscher in meinem Reich. Hat man schon je von einem Regenten gehört, der in einer WG darum streitet, wer heute das Bad putzt und wer morgen das Wohnzimmer saugt?

Ich bin eine Katze. Also bin ich Kaiser, König und regierender Fürst. Also mache ich nicht – ich lasse machen. Also teile ich nicht, nicht meine Futterschüssel, nicht mein Schlafkörbchen, nicht meine Toilette.

Die Studenten meiner Menschenfamilie sind auch nie in eine WG gezogen. Sie waren nicht begeistert von der Aussicht, einen vergammelten Filter von vorvorgestern aus der Maschine zu holen, um frischen Kaffee kochen zu können. Sie hatten keine Lust, den Kühlschrank zu füllen und zwei Tage später Nullkommanichts des Eingekauften mehr vorzufinden.

Auch die Frau, die meine Katzenfutterdosen ausschließlich für mich heimschleppt, ist eine Eigenbrötlerin. Familie hin, Familie her (und sie hat eine große Familie), sie braucht immer wieder einmal ihre Auszeiten, muss allein sein, um aufzutanken. Wir sind uns sehr ähnlich.

Mir geht es genauso. Ich genieße es, meine Familie zu haben. Aber dazwischen muss Pause sein. Und ich bin da noch rigoroser als meine Zweibeinerin. In meinem Leben bestimme ausschließlich ich, wann ich Zuwendung will und wann nicht. Viele Missverständnisse, uns Egotiger betreffend, rühren daher, dass die Menschen denken, wir wären ihr Spielzeug. Wir müssten immer dann bereit sein zum Schmeicheln, wenn ihnen danach zumute ist.

So funktioniert das bei uns nicht. Das mag mit Hunden gut gehen. Die sind Rudeltiere und wenn der Rudelführer pfeift, dann rennen sie.

Wir Katzen sind keine Herdentiere. Wir sind lauter Solisten auf der Lebensbühne. Wir pfeifen uns selbst den Takt zu unserer Daseinsmelodie.

„Weißt du, Tizian", sagt meine Zweibeinerin manchmal zu mir und zupft versonnen an meinem Fell herum (etwas, das ich nicht wirklich mag, das ich nur gutmütig über mich ergehen lasse, weil ich hoffe, dieses Herumgetue möge schon bald in ordentliche Streicheleinheiten übergehen), „du bist schon ein recht verwöhnter Einzelkater!"

Na und, habe ich mich vielleicht selbst verwöhnt? Es ist meine Bestimmung. Das Schicksal hat mir viele schöne Seiten ins Tagebuch geschrieben. Ich bin auf die Schlemmerschälchenseite des Katzenlebens gefallen. Ich leugne es nicht.

Vielleicht, wenn es sein müsste, so unter Umständen,

gewissermaßen, könnte ich mir ein Leben in einer Katzen-WG vorstellen. Dann nämlich, wenn ich eines dieser armen Tiere wäre, die kein Zuhause haben. Die ausgesetzt werden. Die man erschießen, vergiften, erschlagen will. Wenn ich so ein armseliges Leben hätte und plötzlich kommt eine gute Fee in Menschengestalt und rettet mich, gibt mir ein behagliches Daheim mit vollen Futterschüsseln und viel Liebe – da dürfte ich mir alle 18 Krallen lecken und dürfte mich nicht über meine Mitbewohner, auch alles so arme Hascherln, beschweren.

Die Frau, die sich im Einzelpack um mich kümmert, kennt so ein „Katzenzuhause", wo auf zwei Bauernhöfen bis zu hundert Tiere leben. Keines von ihnen gäbe es heute noch, hätte es die Frau vom „Katzenzuhause" nicht gerettet. Keine Frage, dass diese Schnurrtigerchen sich dort in der WG wie im Katzenhimmel fühlen – auch wenn sie teilen müssen.

Und doch, und doch – ich kenne meinesgleichen. Kaum würde eines dieser Katzentiere in einer Familie allein als Imperator residieren, im Pfotenumdrehen hätte es ebensolche Starallüren wie ich.

Veza Canetti, die Frau des Nobelpreisträgers, hat es in einem ihrer Bücher (sie hat sehr schöne Sachen geschrieben) so formuliert: „Denn der Mensch gewöhnt sich blitzschnell ans Behagen." Wir Katzen auch. Gebt uns ein Königreich und wir denken, das wäre immer schon so gewesen und müsse immer so bleiben!

Schöner wohnen, schön thronen

Der Schah hatte seinen Pfauenthron, der Kaiser von Japan residiert auf dem Chrysanthementhron, Buddha meditierte auf dem Lotusthron. Das klingt zwar recht beeindruckend, aber, unter uns gesagt, mit einem einzigen Thron, und hätte der einen noch so bombastischen Namen, würde ich mich nicht zufrieden geben.

Ich residiere überall in meiner Heimstatt. Jahrelang war diese Heimstatt ein Haus, heute lebe ich mit meiner Zweibeinerin in einer Wohnung mit kleinem Garten. Das ändert nichts an meinem katerpersönlichen Wohnverhalten. My home is my castle. Betonung auf my, mein! Das Castle kann so groß oder so klein sein, wie es will, für mich ist das mein Herrschaftsbereich. Nur das zählt.

Ich habe jede Menge Lieblingsplätze, selbst dort, wo man es gar nicht für möglich halten würde. Es gibt keinen Winkel, wo ich mir nicht ein Residenzplätzchen ausgesucht hätte. Auch wechseln meine Vorlieben von Zeit zu Zeit.

Mancher Tizianthron ist nur vorübergehend in Amt und Würden – etwa wenn eine leere Schachtel im Vorzimmer steht. Gibt es Verlockenderes für mich? Kaum. Ich klettere hinein. Ich bin Herr Kater Neugier. Ich muss alles erforschen. Ich hocke in der Schachtel und bin zufrieden. Sie finden, in einer Schachtel könne man nicht residieren? Da würde einem der Überblick fehlen?

Welch Menschenunsinn! Egal welchen Platz ich mit meinen Tatzen erobere, er ist mein Thron. Ich adle ihn, indem ich ihn benütze.

Von meiner Sitzgarnitur im Wohnzimmer war schon die Rede. Dort gehört jeder Quadratzentimeter mir, auch die Hochlehnen. Die erklimme ich manchmal von der Rückseite, vom Boden aus, Kralle um Kralle. Ich habe leider noch nie Lob für diese Kletterleistung bekommen.

„Schau Tizian, wie zerkratzt die Sitzgarnitur schon ist. Das ist ja zum Heulen."

Wieso, frage ich mich, wieso sollen Spuren des Fleißes und Könnens zum Heulen sein?

„Als die Kinder klein waren, habe ich mir immer gesagt: Später, später einmal, wenn die Kinder groß sind, werde ich ganz schön wohnen. Jetzt sind die Kinder aus dem Haus, und es ist immer noch nicht später. Solange ich dich habe, lieber Tize, ist nichts mit Schöner-Wohnen."

Was soll diese Formulierung „Solange ich dich habe"? Wieso sollte es mich einmal nicht mehr geben? Wo sollte ich denn sonst sein, als bei meiner Zweibeinerin? Verschweigt mir hier jemand etwas?

Und überhaupt: Wie kann man denn noch schöner wohnen, als mit einem wie mir als Hausgenossen?

Von einer weißen Sitzgarnitur träumt die Frau, die meine Heimstatt sauber hält. So was von unpraktisch! Taps, taps, taps, würde man da jeden meiner entzückenden Pfotenabdrücke sehen. Ich persönlich fände ja so ein Katzenpfotenmuster höchst dekorativ. Aber ich bezweifle, dass es mit den Vorstellungen meiner Zweibeinerin von Wohndesign und Stil harmoniert.

Und viel Weiß möchte die gute Frau rundum.

Viel Weiß, dass ich nicht lache!

Da hätte sie halt auf mich verzichten müssen. Doch kein Weiß der Welt kann es wert sein, auf mich zu verzichten. Kein Weiß der Welt kann so zärtlich schnurren wie ich. Kein Weiß der Welt vertreibt trübe Gedanken so liebevoll wie ich, wenn ich meiner Zweibeinerin den Bauch wärme und meinen Kopf auf ihren Arm lege. Kein Weiß der Welt kann so schön sein wie mein Tizianrot.

Weiß abgehakt.

Sehr gerne liege ich auch auf dem Drehstuhl vor dem Schreibtisch. Chefsessel, diesen Begriff prägte die Mutter meiner Zweibeinerin einst dafür. Wie passend, denke ich heute noch. Schade, dass es diese Frau nicht mehr gibt. Sie hatte jene Seelengröße, die man haben muss, damit man die Größe anderer neidlos anerkennen kann.

Der Chef auf dem Chefsessel – damit konnte sie doch nur mich meinen.

Überhaupt sind sämtliche Stühle meine Throne. Schade, dass ich nicht gleichzeitig mit vier Pfoten auf sechs Sesseln sitzen kann. Bei der Esstischgarnitur wechsle ich daher reihum. Oft im Zehnminutentakt. Ich probiere alle Stühle durch. Ich beginne mit Nummer eins, verlasse den für Nummer zwei, den wiederum für Nummer drei. Kurz kehre ich auf Sessel Nummer eins zurück, ehe ich mich auf Nummer vier hinüberschlängle. Bald darauf erscheint mir Nummer fünf interessanter. Und Nummer sechs will auch noch drankommen. Ich bin beschäftigt.

Ärgerlich nur, wenn sich hin und wieder meine Menschenfamilie vollzählig um den Esstisch versammelt und wir so eine Art „Die Reise nach Jerusalem" spielen. Es gibt dabei einen Sessel weniger, als Kinder mitspielen. In unserer Familienversion fehlt der Sessel für mich, den Tizian. Ich bin empört!

Der erste Zweibeiner kommt zu Tisch. „Tizian, das ist

mein Platz!“ Ich wandere einen Sessel weiter. Der nächste kommt. „Tizian, das ist mein Platz!“ Ich wandere einen Sessel weiter. Immer das gleiche Spiel. Zum Schluss bleibt der Sessel meiner Zweibeinerin über. Die werkt noch in der Küche und kommt als Letzte. Gnadenlos spricht auch sie diesen Satz: „Tizian, das ist mein Platz!“ – obwohl ich doch gerade von ihr so etwas wie Einsicht erwartet hätte. Ich lande auf dem Boden. Da kommt keine Freude auf.

Jetzt wissen die in meiner Familie schon seit Jahren, dass es mich gibt – und sie haben bis heute noch keinen Sessel für mich gekauft! Wenn das nur gut geht! Ich kenne ein Märchen, da sollten dreizehn weise Frauen ins Schloss eingeladen werden, aber es gab nur Sonntagsbesteck für zwölf. Statt dass man ein wenig improvisiert hätte und halt die Gastgeberin die Suppe statt mit dem goldenen Löffelchen mit einem aus Silber geschlürft hätte (das wäre schon niemandem aufgefallen), hat man lieber etepetete die dreizehnte Fee ausgeladen. Ohh, das hat sich bitter gerächt. Mit hundertjährigem Schlaf, der über das ganze Schloss hereinbrach. Aber zumindest durfte der König auf seinem Thron schlafen!

Daran sollte meine Menschenfamilie denken, wenn sie sich wieder – ohnedies nur zu allen heiligen Zeiten wie Ostern, Weihnachten, Geburtstagen und so – um den Esstisch versammelt. Man möge mich nicht von meinem Thron vertreiben!

Im Vorzimmer haben wir einen Hocker. Damit man sich leichter tut beim Schuhanziehen. Diesen Hocker liebe ich. Er ist geflochten und darauf liegt ein schneeweißer Polster. Wissen Sie, wie edel die Kombination weißer Polster und roter Kater aussieht? Eben. Ich finde, bei uns ist niemand so alt, dass er sich nicht die Schuhe im Stehen anziehen könnte.

Ich residiere auch gerne mit Bodenhaftung, familiennah, bürgernah. Etwas, das man nur den wenigsten Herrschern nachsagen kann. Ich residiere auf Teppichen. Überall, wo es weich ist, bin ich zur Stelle. Besonders gern auf dem kleinen roten Berberteppich vor der Terrassentür. Wenn nachmittags die Sonne durch die Scheiben heizt, habe ich hier einen alternativen Kachelofen.

Es müssen nicht immer leere Schachteln sein. Ich bin auch zufrieden mit der, in welcher meine Zweibeinerin die Tragtaschen aufbewahrt. Die Schachtel ist groß, stabil, mit Deckel. Da drauf mache ich es mir sehr oft gemütlich. Wenn ich dort schlummere und meine Zweibeinerin will einkaufen gehen, muss sie sich halt im Geschäft eine neue Tragtasche kaufen. Schlafende Katzen weckt man nicht.

Wo immer ich auch throne, werde ich alsbald von grenzenloser Müdigkeit überkatert. Ich blinzle noch ein wenig huldvoll in die Runde, dann pfeife ich ab, hinein ins Königreich der Katzenträume. Wovon ich träume? Vielleicht von den Pfauen vom Pfauenthron. Pfauen sind doch Vögel. Ob die gut schmecken? Sie sollen sehr groß sein. Und schön. Schöner als ich werden sie schon nicht sein.

Von Lotusblüten und Chrysanthemen träume ich sicher nicht. Einen wie mich macht man nicht mal im Traum zum Vegetarier, geschweige denn zum Blümchenfresser.

Dass ich am allerliebsten im Bett meiner Zweibeinerin träumen würde, habe ich Ihnen schon verraten. Dass ich diesbezügliche Herrschaftsansprüche noch nie nachhaltig durchsetzen konnte, wissen Sie auch.

Der Daunenthron. Das wäre für mich das Höchste. Federleicht ist das Bettzeug meiner Zweibeinerin, und so warm. Da hineinkuscheln und Herr sein über Tuchent und Polster, Nackenrolle und Zierkissen. Superkaterherrlich!

„Ins Bett? Nein, Tizian, das fangen wir uns erst gar nicht an!“ Wer sagt schon was von wir. Ich würde das anfangen. Aber ich stoße auf taube Ohren. „Mir reicht schon, wo du sonst noch überall Dreck machst.“

Und dann regt sich die Frau, die ihr Bett nicht mit mir teilen will, über Dinge auf, die nicht zu ändern sind, die sich nie ändern werden und die sie, im Grunde ihres Herzens, auch gar nicht geändert haben will. Denn jede Änderung würde bedeuten: ein Leben ohne mich.

„Nichts als putzen! Dein Futter verträgst du in der ganzen Küche, das Katzenstreu in der halben Wohnung. Und überall sind deine Haare! Wirklich überall! Sogar im Bettzeug meiner Jüngsten, dreihundertundfünfzig Kilometer von hier entfernt, habe ich Haare von dir gefunden!“

Die Gute fuhrwerkt mit Kleberoller, Bürste und, wie furchtbar, mit dem Staubsauger. Das Geräusch des Staubsaugers hasse ich wie die Hundepest. Ertönt es, flüchte ich sofort. Ich erkläre mich da solidarisch mit allen anderen männlichen Wesen auf dieser Welt – Staubsauger sind nervtötend.

Sobald sich die Saubermacherwut meiner Zweibeinerin gelegt hat, ist wieder Friede in der Bude. Manchmal kramt sie dann, vielleicht als eine Art Entschuldigung, einen Zeitungsausschnitt hervor, den sie schon seit langem, länger, als es mich gibt, aufbewahrt. Er ist aus dem Magazin einer Bausparkasse. Er zeigt ein helles Wohnzimmer mit einem hellen Kachelofen. Auf der Bank vor dem Ofen liegt eine rote Katze. Sie sieht mir fast ein wenig ähnlich.

„Hast schon Recht, Tizian. Wenn alles so perfekt und sauber wäre wie auf diesem Foto, selbst wenn ich mein müdes Kreuz an dem Kachelofen wärmen könnte, aber ich hätte dich nicht – wer würde mir denn das Herz wärmen?“

Birma la Douce

Man hat mich sehr früh kastriert. Ich mache also keine „Scherereien“, wie das die Menschen so nennen, und habe mir das Gemüt eines Vorpubertierenden bewahrt. No love, no troubles – keine Liebe, keine Schwierigkeiten.

Es gab im Freundeskreis meiner Zweibeinerin einmal einen unkastrierten Kater. „Tizian, das war ein testosterongesteuerter Machotyp. Ein Kämpfer ohne Rücksicht auf Verluste. So etwas wollte ich uns beiden von Anfang an ersparen. Und wenn ich bedenke, wie selbstsicher und überheblich du so schon bist – wie wärst du erst, hätte ich dich nicht kastrieren lassen!“

Besagter Held der weiblichen Katzenwelt war weiß mit einem dunklen Brustfleck. Im Laufe von wenigen Jahren (unkastrierte Kater werden in der Regel nicht alt – wenn man sie nicht ausbruchsicher einsperrt, sind sie immer nur unterwegs) fanden sich in den Kindbettstuben ringsum viele kleine weiße Kätzchen mit einem dunklen Fleck auf der Brust. Der Kater war fleißig. Genauso fleißig wie mein Vorgänger Panter, der für lauter pechschwarze Panterkinder in der Umgebung sorgte.

Seine Menschenfamilie sah den potenten Rabauken oft wochenlang nicht. Wenn er dann wieder kam, war er räudig und zerzaust, mit zerfetzen Ohren und zerbissenem Schwanz. Er tat auf unschuldig und arm, ließ sich aufpäppeln, verwöhnen und ärztlich versorgen. Man goss ihm Balsam auf die Wunden, die der Liebeskampf dem Katzencasanova geschlagen hatte.

Kaum war alles wieder heil, war er schon wieder dahin.

Mir hat man dieses triebgesteuerte Dasein erspart.

Die Liebe im erotischen Katersinn kenne ich nur aus seltenen Träumen. Ich verschlafe und verträume ja mehr als mein halbes Leben. Hauptsächlich träume ich vom Fressen, das sind meine heiß geliebten Schlaraffenlandträume. Wunderbar! An zweiter Traumstelle stehen meine unglaublichen, phantastischen, einmaligen, unübertrefflichen Tizianabenteuer. Was ich da erlebe, geht auf keine Katzenhaut. Die Geschichte vom Wilden Westen habe ich ja schon erzählt. Hero Tizian in Action! Baby, I'll be back, schon im nächsten Traum.

Und hin und wieder verstricke ich mich träumend in die holden Gefilde der Liebe. Meist an einem sonnigen Frühlingsnachmittag, wenn die Maiglöckchen duften, die Magnolien blühen und meine Zweibeinerin gelbe und violette Stiefmütterchen in das kleine Beet pflanzt. Ich sehe ihr dabei zu. Ich liege auf dem Terrassentisch, die Sonne kitzelt meine rosa Nasenspitze. Ich blinzle, meine Kateraugen fallen auf die Seidenpfoten-Beauty auf einem der Balkone über uns.

Diese Katze ist eine seltene Schönheit, eine Birma mit halblangem Fell in Weiß und Rauchgrau und mit strahlend hellblauen Augen. Sie ist der Star ihrer Familie, wird verhätschelt und verwöhnt und darf nie mit uns Gassenkatzen einmal ordentlich eine Nacht durchmachen. Während wir mit Mäusen & Co. Programm fahren, schlummert sie auf ihrem Brokatpolster. Der Nachtwind singt ihr ein „La, le, lu, nur der Mann im Mond schaut zu, wenn die kleinen Birmas schlafen …“. Ihre hellen Pfoten zucken – sie träumt – von mir.

Jetzt, in der Nachmittagsonne, träume ich von ihr. Ich spüre ihre Sehnsucht nach Freiheit und Abenteuer. Einen Kratzbaum und einen Kletterturm der Marke Luxusausführung hat sie auf ihrem Balkon. Auch ein Schälchen mit Katzengras. Und viele kleine Spielzeugmäuse aus weißem Filz und grauem Fell.

Sie lebt in einem schönen goldenen Käfig. Hinter einem Katzengitter, das den Balkon ausbruchsicher machen soll. Aber da hat man nicht mit mir gerechnet!

Ich werde der feinen Birmalady jenes Leben zeigen, das uns Katzen naturgemäß zusteht, ob wir nun von Rassekatzenadel oder von Straßenkatzenadel sind.

Ich weiß, die Birma ist eine ganz spezielle Rasse. Sie trägt als einzige den Beinamen „Heilige“. Die Heilige Birma, so erzählt man sich noch heute in Asien, wäre einst Tempelkatze gewesen und in ihr hätte sich die Seele eines ermordeten Priesters reinkarniert. Ihre entzückenden weißen Pfoten kämen vom Sprung der ersten Heiligen Birma auf den Altar der für die Seelenwanderung zuständigen Göttin. Diese heißt Tsun Kyankze, man nennt sie auch die Göttin mit den Saphiraugen. Saphirfarben sind die Augen der Birmas bis heute und auch die am Altar gereinigten weißen Pfoten haben alle Nachkommen geerbt.

Ich träume. Ich entführe Birma la Douce. Ich klettere die Regenrinne hinauf. Sie denken jetzt vielleicht: Gut geträumt, alter Kater – doch wer kann schon eine Regenrinne in der Direttissima bewältigen? Aber hallo! Ich erinnere mich an eine Tierhilfsaktion meiner Menschenfamilie: Ein Starenkasten wurde unter dem Dach in der Nähe der Regenrinne montiert. Diese superklugen Zweibeiner! Da hätten sie gleich eine Hühnerleiter daneben stellen können. Der Erfolg wäre der gleiche gewesen. Nach geraumer Zeit wunderten sich alle, dass es nichts wurde mit dem Vogelnachwuchs. Naja, so würde ich das nicht sagen. Es wurde schon was: nämlich mein Bauch voll und der Nistkasten leer.

Lassen Sie mich weiterträumen. Mit nur einem Tatzenhieb zerreiße ich das Katzengitter. Was ist schon ein wenig Draht gegen meine Prankenkraft! Birma miaut anerkennend. Welch Lob! „Komm“, sage ich zu meiner Herzensdame. „Komm, wir hauen ab!“

Ich denke an Romeo und Julia. Tizian und Birma. Das ist unsere Balkonszene.

Ich denke an die zwei Königskinder, die zueinander nicht kommen konnten, weil das Wasser zu tief oder der Balkon zu hoch war. Wir schaffen es!

Ein kurzer Regenrinnenrutsch in die Freiheit! Birma la Douce, jetzt lege ich dir meine Tizianwelt zu Füßen. Zuerst wird diniert. Liebe geht durch den Magen.

Auf dem Acker hinter den letzten Häusern zeige ich Birma zweiundvierzig und fünf Mäuselöcher. Sie darf sich das schönste aussuchen. Oder alle bejagen, wenn sie will. Wir schmausen vorzüglich. Die Mäuse sind sehr kooperativ, in meinem Traum.

Birmas weiße Pfoten sind schmutzig von der Ackererde. Ein wenig Mäuseblut tropft ihr vom vorletzten Schnurrbarthaar links.

Unser erstes gemeinsames Mäusemoonlight-Dinner – besser könnte der Auftakt für unsere zukünftige Gemeinsamkeit gar nicht sein.

Wir verziehen uns zu dem Bauern, bei dem meine Zweibeinerin ihre Kartoffeln kauft. Nein, nicht in die Kartoffeln, ins Heu verziehen wir uns. Trocken und warm ist es dort. Ein Liebesnest der kuscheligen Bauernart. Ich kann meine Wurzeln eben nicht verleugnen. Ich bin ein Bauernhofkater, einer vom Adel der Scholle mit dem Traktor im Wappen.

Später, als wir unser Heuplätzchen wieder verlassen, hat Birma la Douce Halme im Fell. Welch ein Schmuck. So sehen glückliche Katzen aus. Statt Diamanthalsbändern tragen sie die Spuren der Freiheit.

Birma, meine Katzengöttin mit den Saphiraugen, und ich, der rote Eroberer mit dem ländlichen Charme, wir sind ein Traumpaar.

Zuhause indessen, da ist schon Feuer am Dach. Soll heißen: bei Birma zuhause, nicht bei mir. Meine Zweibeinerin und ich haben eine stillschweigende Vereinbarung: Ich bleibe stundenlang weg, ohne dass sie sich Sorgen macht. Aber ich bleibe nie länger als einen halben Tag oder eine halbe Nacht weg.

Bei Birmas Familie läuten sämtliche Alarmglocken! Das Gitter zerrissen! Die Katze weg! Hilfe! Entführung!

Fernsehen, Rundfunk, Zeitungen, alles ist schon informiert. Ringsum kleben auf Bäumen und Hausmauern kleine Zettel: „Birma entlaufen. Hört auf den Namen La Douce. Hohe Belohnung ausgesetzt!“

Wir kümmern uns nicht darum. Wir sind Flottwell und Amalie, Romeo und Julia, Minnie Maus und Mickey. Ja, die letzten beiden, die sind wir besonders. Wir sind genauso amerikanisch prüde und nur zur platonischen Liebe fähig. Selbst im Traum. Ich habe es Ihnen ja schon am Anfang dieses Kapitels miaut: Man hat mich sehr früh kastriert.

Rennkater Tizian Tatze

Für mich gibt es zwei Arten von Folter: erstens zu wenig Essen, zweitens Auto fahren. Es soll ja Tiere geben, die gerne Auto fahren. Ich hasse es. Ich hasse das Auto allgemein.

Ich höre, wie mich die Frau, die ihr Auto liebt, rügt: „Tizian, Hass bringt nichts in diesem Leben. Hass macht alles nur noch schlimmer." Ich argwöhne hinter diesen Sätzen Feierabendpsychologie. Sie will mir quasi durch die Hintertür das Auto schmackhaft machen.

Ich bleibe bei meiner Abneigung. Ich bin kein PS-Kater. Höchstens bin ich Rennkater Tizian Tatze als Pfotenpendant zum Rennschwein Rudi Rüssel. Übrigens: Ein Film wie jener vom Rudi wäre das Maximum an Spannung, das sie aushalten könne, behauptet meine Zweibeinerin gerne, wenn ihr wieder einmal alles zu hektisch wird.

Als Rennkater Tizian gebe ich selbst Gas auf vier Pfoten. Ich werde nicht gefahren. Ich laufe. Dazu wärme ich mich auf. Ich schleiche. Leise, leise und tief geduckt. Jeder meiner Muskel ist gespannt. Mein Bauch ist nahe am Boden. Der Literaturnobelpreisträger John Steinbeck fand in seinem Roman von der Straße der Ölsardinen für diese Art der Fortbewegung einen schleckersüßen Vergleich: Katzen gleiten wie Sirup am Boden.

Aber dann! Schluss mit Vorspiel, Schluss mit Bodenhaftung: Start, Satz und Mäusesieg. Sprintrekord. So macht man Rennen.

Meinereiner hat ja ein Vorbild in der Verwandtschaft, den Gepard, die Windhundkatze. Er ist das schnellste Landtier der Welt, schafft es auf unglaubliche 120 autobahntaugliche Kilometer die Stunde.

Womit sich wieder das Wort Auto in mein Geplauder eingeschlichen hat und ich deshalb sehr schnell zum nächsten Kapitel komme.

Tizian und die mobile Kammer des Schreckens

Auto fahren bedeutet für mich Strafe. Doppelte Strafe, weil ich nicht weiß, wofür ich bestraft werde. Ich werde in einen Transportkorb gepackt. Das ist eine unerlaubte Handgreiflichkeit meiner Zweibeinerin. Kratzgefährlich obendrein. In diesem Punkt bin ich kein Feiner. Ich wehre mich. Ich will da nicht hinein. Jedes Mal muss ich. Das ist Freiheitsberaubung. Man müsste „cats amnesty international“ (cai) auf meine entwürdigenden Haftbedingungen aufmerksam machen.

Ich fühle mich elend, erniedrigt, gedemütigt. Ich bin nicht mehr Kater der Lage. Diese Behandlung verletzt meine Katzenrechte. Und ich kann nichts dagegen tun, außer Radau machen. Das tue ich dafür auch ordentlich: Ich schreie wie ein Baby, ich weine wie ein Kleinkind, ich wimmere wie ein Schwerverletzter.

Zwar zwingt man mich nicht allzu oft zum Autofahren, aber jedes Mal ist ein Mal zu viel.

Meine Zweibeinerin dreht den Zündschlüssel. Das Auto brummt. Ich spüre es genau: Das Auto ist mein Feind. Ich sitze in meinem Korb. Der steht am Boden vom Beifahrersitz. „Tizian, ich kann dich nicht auf den Sitz stellen. Es tut mir Leid. Du weißt schon warum.“ Ja, ich weiß, ich weiß. Ich sage es nicht gerne, aber vielleicht ermessen Sie an dem nun folgenden Geständnis den Grad meiner Verzweiflung: Jedes Mal beim Autofahren erledige ich ein kleines Geschäft. Ich, der Kater, der sonst die Sauberkeit in Person ist.

Gut, es schilt mich nie jemand dafür aus. Und hätte ich das jetzt hier nicht selbst ausgeplaudert, meine Zweibeinerin hätte mich diesbezüglich nie verraten. Aber es ist und bleibt peinlich und unnötig obendrein: Man soll eben mit mir nicht Auto fahren.

Geht es zum Tierarzt, dauert die Fahrt wenigstens nicht lange. Dafür ist das Zwischenspiel ein Horror für sich: Das Wartezimmer voller Hunde und im Behandlungsraum warten Spritze, Fieberthermometer und Pillenzwangsbeglückung. Die Heimfahrt wiederum prolongiert mein Leiden im Auto, in der mobilen Kammer des Schreckens.

Während der Fahrt spricht meine Zweibeinerin auf mich ein: „Tizischatzi, schau, das muss halt sein!“ Ich bin nicht ihrer Meinung. Nichts muss sein. Und Autofahren muss schon gar nie und nimmer sein.

Man möge sich doch bitte in meine Gedankenwelt versetzen. Ich bin eine Katze. Ich lebe im Hier und Jetzt. Wenn ich jetzt im Auto leiden muss, kann ich mich nicht mit den Gedanken an eine Änderung in der Zukunft trösten. Ich denke, so wie es ist, ist und bleibt es, immer.

Fahren wir auf Urlaub, dauert die Fahrt bis zu zwei Stunden. Ich bin eingepfercht zwischen Taschen, Schachteln, Wanderstecken und Rucksäcken. Ich spüre, wie glücklich meine Zweibeiner sind. Ich finde das höchst unpassend. Wie können die sich freuen, während ich leide.

Zugegeben: Der Urlaub selbst gefällt mir sehr gut. Wir verbringen den, wie erwähnt, immer auf der Alm. Da sind Abenteuer inbegriffen, wundersame Begegnungen mit Kuh und Schaf, Fuchs und Hase, Ziege und Forelle. Selbst Schwein haben wir dort schon gehabt. Echt! Almöhis glückliche Freilandsau. (Davon erzähle ich Ihnen im nächsten Kapitel.)

Und erst die Verpflegung! Was für meine Menschen der Glundner und die Eierschwammerln sind (die deutschen Urlauber schwärmen von Almkäse und Pfifferlingen), sind für mich die Regenbogenforellen im Gebirgsbach und die würzigen Spitzmäuse.

Die Heimfahrt vernichtet bei mir umgehend jeden Erholungseffekt. Ich jammere, bis wir wieder zuhause sind. Fünf Minuten nach unserer Rückkehr ist meine Katzenwelt wieder in Ordnung. Bis zur nächsten Autofahrt.

Schon dreimal (je älter die Menschen werden, desto öfter wiederholen sie ihre Geschichten) nach solchen Auto-Urlaub-Abenteuern erzählte mir die Frau, die sich nicht einfühlsam genug meiner Autophobie annimmt, die Story von Panter, dem Kater ihrer Kindheit, und dem letzten Urlaubswochenende anno Schnee in Lunz am See.

Ich weiß nicht genau, was sie mit dieser Schilderung bezweckt. Soll der Panter für mich Vorbild oder abschreckendes Beispiel sein? Für mich ist keine Moral in der Geschichte. Ich erzähle sie ihnen trotzdem:

Meine damals elf Jahre alte Zweibeinerin war mit ihrer Mutter drei Wochen lang auf Urlaub in Lunz am See gewesen. Am letzten Wochenende kam der Vater hinzu, um die beiden dann nachhause zu fahren. Der Teufel muss ihn geritten haben, als er zum Wochenendgepäck auch noch den Panter ins Auto packte, einfach so, ohne Korb, ohne Leine. Die Fahrt wurde ein Schrecken ohne Ende. Sonst jeglicher Autostopperei abhold, nahm der

Vater schon bald einen jungen Mann mit, der am Straßenrand mit dem Daumen nach oben gestanden war. Der Preis fürs Mitnehmen: die aufgebrachte Katze, die ständig im Auto herumhüpfte, zu beruhigen.

Am Urlaubsort durfte (!!! drei Rufzeichen) der Kater noch am selben Nachmittag eine Bootsfahrt machen, so sehr hatte sich meine kleine Zweibeinerin über seine Ankunft gefreut. Der Kater sollte schließlich auch etwas vom See und vom Urlaub haben.

Gegen Abend war das für Katzen erträgliche Maß voll. Panter riss aus und blieb zwei Tage lang verschollen. Man suchte ihn überall. Von Erholung war in diesen Tagen keine Rede mehr. Als die Abfahrt nicht mehr länger hinausgezögert werden konnte, hatten die Schutzengel ein Einsehen: Panter wurde gefunden. Er schlief im Bett des Stubenmädchens, direkt unter der Reproduktion „Die betenden Hände“ von Albrecht Dürer. Womit die höllisch dumme Idee, eine Katze freihändig im Auto von Wien nach Lunz am See zu befördern, ein himmlisches Happyend fand. Und ein kleines Körbchen für die Heimreise fand sich auch.

Almöhis glückliches Freilandferkel

Ich bin unerschütterlich von meiner Einmaligkeit überzeugt. Für mich gibt es keine Konkurrenz. Welches Tier könnte mir denn die Liebe und Aufmerksamkeit meiner Menschenfamilie streitig machen? Keines, na eben.

Dieses, mein grandioses Ego, wurde ziemlich erschüttert in jenem Sommer auf der Alm, der nun auch schon wieder einige Jährchen zurückliegt. Vorbei, aber nicht vergessen.

Wir hatten es uns gerade so schön eingerichtet. Ich, der Almkater und meine Menschen. Freizeit von früh bis spät. Wunderbar die vielen verschiedenen Gerüche und Geräusche. Alles Abwechslung, alles anders als Zuhause.

Urlaub! Manchmal schlendere ich an einem Buschwerk vorbei und plötzlich habe ich einen unbekannten aufregenden Duft in der Nase. Ich strecke meine Zungenspitze heraus und mit halbgeöffnetem Mund sauge ich den Geruch ein. Ist hier letzte Nacht ein Häschen durch den Tann gehoppelt? War ein Eichhörnchen auf der Suche nach Brauchbarem für den Wintervorrat? In Gedanken bin ich auf der Jagd. Hasenbraten! Hörnchenschmaus! In meinem Kopf gibt es lauter kleine Glücksexplosionen. Endorphine sagen die Menschen dazu. Wegen dieser körpereigenen Drogen sind sie so gut drauf, wenn sie vom Joggen oder aus dem Fitnessstudio kommen. Meine Katermeinung: Sport ist für die Menschen dasselbe, wie für uns Raubtiere die Jagd.

Doch das Höchste meiner alljährlichen Urlaubsfreuden: Ich bin überall dabei, ich darf überall dabei sein. Keiner sagt: „Tizian, du bleibst da. Das ist zu gefährlich. Da könnte dich ein Auto überfahren." Hier könnte sich höchstens eine Kuh bei meinem Anblick erschrecken. Oder vielleicht umgekehrt. Aber das ist nicht weiter gefährlich.

Gleich in der Früh, wenn der erste meiner Zweibeiner zum Gamsenbründl (so nennen sie die Almquelle, weil angeblich aus ihr auch die Gämsen trinken) eilt, um frisches Wasser für den Morgenkaffee zu holen, trabe ich schon mit.

Am Vormittag, wenn einer der Zweibeiner hinter der Hütte Holz hackt, damit das Feuer im Herd nicht ausgeht, bin ich dabei. Es heißt zwar „Tizian pass auf, da fliegen die Späne!", aber das stört mich nicht. Ich rieche das Holz, ich rieche das Harz und bin ferienzufrieden. Ich sitze oben auf den Buchenscheitern – Tizian auf dem Holzthron.

Wenn meine Menschen auf der Bank vor der Hütte sitzen, bin ich dabei. Wir spielen Guck-in-die-Luft und tun rein gar nichts. Einfach nur so dasitzen und den Herrgott einen guten Almmann sein lassen.

Kommen Wanderer vorbei, was nur selten der Fall ist, begutachten wir sie aufmerksam. Haben sie Hunde dabei, verziehe ich mich in die Hütte. Haben sie keine dabei und bleiben sie stehen und reden ein paar Worte mit meinen Menschen, kann es schon vorkommen, dass ich meinen Bergler-Charme spielen lasse: Ich begrüße sie und scharwenzle um ihre Wanderschuhe. Sie sind dann jedes Mal hellauf begeistert. „Guck doch mal, Horst-Uwe!

Was für 'n niedliches Kätzchen haben die hier mit bei in die Berge jenommen!"

Nachmittags liegen meine Menschen oft auf der kleinen Insel im Bach. Der Bach ist nicht weit von der Almhütte entfernt. Sichtkontakt vorhanden. Das bedeutet für mich die Möglichkeit, jederzeit heimsprinten zu können.

Das Wasser ist seicht und ich balanciere Pfote um Pfote, sehr vorsichtig, zur Insel. Dort lege ich mich auf die Decke meiner Menschen. Die geben mir die Wurst aus ihren Semmeln und kitzeln mich mit Grashalmen.

Und nun stellen Sie sich diese Ungeheuerlichkeit vor: In jenem besagten Sommer war von einem Tag auf den anderen Schluss mit Tizian-hier-und-Tizian-dort. Mir wurde die Show gestohlen – von einem Schwein! Ja, Sie haben richtig gelesen: von einem Schwein!

Almwirtschaft ist Viehwirtschaft. Kühe und Kälber, junge Stiere, Schafe und, wenn es sein muss, auch noch diese Meckerziegen. Aber Schweine? Das hatte ich noch nie auf der Alm gesehen.

Nun kam meine Menschenfamilie auf die Sau. Ich will nicht allzu unfair sein in meiner Ausdrucksweise. Sie kam aufs Ferkel.

Und das kam so:

An jedem Abend auf der Alm holen die jungen Zweibeiner Milch beim Senn. Damals kamen sie amüsiert zurück. „Mama, der Hias hat ein Ferkel auf die Alm gebracht. Das wird er jetzt den Sommer über frei laufen lassen."

So weit, so gut.

Doch schon am nächsten Abend brachten die Kinder nicht nur die Milch, sie hatten auch das Schwein im Schlepptau. „Mama, es ist uns einfach nachgelaufen.

Ehrenwort!" Dabei setzten sie ihre Unschuldsmienen auf. Mich konnten sie nicht täuschen. Kein Ferkel rennt freiwillig fünfhundert Meter weit mit jemandem mit. Meine jungen Zweibeiner hatten es gewiss tüchtig mit Keksen gefüttert.

Das Schwein machte es sich vor der Hütte bequem. Es grunzte, es quiekte ein bisschen und schien sehr zufrieden. Meine Zweibeiner fütterten es mit allem, was sie finden konnten. Die Speisekammer wurde geplündert. Aber wehe, ich möchte einmal außertourlich Speck oder so, gleich heißt es: „Tizian, du wirst zu fett!"

In der Nacht verschwand das Schwein zwar, aber am nächsten Morgen, und von da an jeden Tag, kam es schon zeitig im Schweinsgalopp den kleinen Weg zu unserer Hütte herauf. Und blieb bis zur frühen Dämmerung.

Ab nun drehte sich alles um Almöhis glückliches Freilandferkel. Sie nannten es Quieki-Quiek, manchmal auch Notschkale. Das war Lautmalerei, denn mit notsch-notsch-notsch verschlang das kleine Ringelschwänzige alles, was man ihm gab.

Ich war abgemeldet, tutto kompletto. Nur noch Quieki-Quiek hier und Quieki-Quiek dort.

Die Kinder holten alte Decken vom Dachboden der Hütte, einen Leiterwagen und Bretter. Aus den Brettern bauten sie ein Haus für das Schwein, die Decken waren der Teppichersatz. Es fehlten nur noch Vorhänge. In den Leiterwagen setzten sie das arme Schwein und fuhren mit ihm den Almweg auf und ab. Das Schwein im Luxus mit Haus und Fahrzeug.

„Tizian, spiel doch einmal mit Quieki-Quiek!" Ich war beleidigt.

„Tizian, willst du einmal auf Quieki-Quiek reiten?" Ich

war beleidigt. Ich, der Held aller Kater, dem mindestens ein Araberhengst zusteht, sollte auf einem Schwein reiten!

„Tizian, geh, sei doch nicht so eifersüchtig!"

Ja, wie sollte ich denn nicht eifersüchtig sein!

Wilhelm Busch hat gesagt: „Eifersucht ist Liebesneid." Und ich war schwer eifersüchtig auf die Liebe, die das Ferkel von meiner Familie bekam. Ich bin nicht gut im Teilen.

Es gibt hier leider nichts über ein Urlaubs-Happyend aus meiner Sicht zu schreiben, denn bis zum letzten Tag war Quieki-Quiek der Almstar. Bis zum Abwinken, als wir fuhren: „Pfiat di, Quieki-Quiek! Nächstes Jahr kommen wir wieder!"

Ja, wir kamen wieder im Jahr darauf. Ich war wieder mit dabei. Quieki-Quiek vielleicht auch, nur in etwas anderer Form. Mag sein, dass es meine Zweibeiner in den Almwürsten vom Hüttenwirt genossen haben.

Wer zuletzt lacht, heißt in diesem Fall Tizian.

„Du nix verstehen Katz?"

Alt-Deuteronimus, einer der Katzenstars aus dem Musical „Cats", singt im Lied „Wie spricht man eine Katze an?":

„Bei Katzen, sagt man, gilt die Art:
Sprich erst, wenn sie gesprochen hat.
Ich selbst jedoch halt nichts davon,
die Katze grüßen darf man schon.
Nur denk daran zu jeder Zeit:
Sie hält nichts von Vertraulichkeit."

Ich kann dem alten Kater nur beipflichten. Ich halte absolut nichts von Vertraulichkeit. Insbesondere, wenn es sich um fremde Zweibeiner handelt. Da könnte ja jeder daherkommen, Miez-Miez rufen und sich Freundlichkeiten von mir erwarten. Wer bin ich denn! Ich bin ja noch nicht einmal eine Mieze, ich bin ein gestandener Kater. Einzig der Frau, die für mein leibliches und seelisches Wohl sorgen darf, erlaube ich Vertraulichkeiten. Bei ihr bin ich sogar bereit, über ein kindisches „Tiziwitschiwutschi" hinwegzusehen. Manchmal überkommt sie halt so eine Gefühlsduselei.

Abgesehen von solchen verbalen Entgleisungen sprechen wir ganz normal miteinander.

Sitze ich gerade mit meiner Toilette beschäftigt irgendwo in der Wohnung und meine Zweibeinerin kommt vorbei, sagt sie meist kurz „He Tize!“, und ich antworte mit einem undeutlichen Miau. Nie würden wir einander begegnen, und sei es auch, dass wir uns erst eine halbe Stunde zuvor in der Küche getroffen haben, ohne ein paar Worte zu wechseln.

Erstens erschiene uns das beiden unhöflich, zweitens ist das stumme Nebeneinanderherleben Gift für die Seele, für die der Menschen ebenso wie für die der Katzen.

Dieses „He“ und mein Miau heißen so viel wie: „Normaler Tag heute. Alles im grünen Bereich. Keine gröberen Vorkommnisse.“ Jeder erfüllt die Pflichten seines Alltags. Ich sorge dafür, dass mein Fell sauber ist und glänzt. Meine Zweibeinerin macht ihren Bürokram, telefoniert und schreibt auf dem Computer.

Warte ich auf mein Futter und die Frau, die die Dosen öffnet, trödelt ungehörig lange herum, dann gurre ich tief und langgezogen. Das bedeutet: „Tu dich!“

Hat sie endlich die Schüssel gefüllt und schon in der Hand, um sie mir zu geben, fiepse ich kurz – ein vorauseilendes Dankeschön: Sie möge sich nur ja nicht einfallen lassen, mir mein Futter im letzten Augenblick doch nicht zu geben. Solch eine Ungeheuerlichkeit ist zwar noch nie passiert, aber Vorsicht ist die Mutter der Porzellankiste. Ich bin misstrauisch. Und wissen kann man ja nie.

Nach dem Essen grunze ich noch mal kurz und tief. „Für die nächste halbe Stunde reicht's.“ Meine Zweibeinerin ist anderer Meinung: „Tizian, dein Kalorienlimit ist heute schon überschritten.“ Da erübrigt sich jede Antwort.

Sind wir beide für längere Zeit zusammen in einem Raum, jeder mit den Wichtigkeiten des Tages beschäftigt, und ich wache zwischendurch auf, gurre ich. „Schlaf nur weiter", bekomme ich zu hören. Gut, denke ich, die Welt ist noch immer in Ordnung. Ich gurre nochmals: „Nach meinem nächsten Traum sprechen wir uns wieder."

Es ist eine Dummheit, zu behaupten, wir Katzen könnten nicht sprechen. Ich habe mir im Laufe der Jahre einen richtigen Wortschatz für meine Menschen zugelegt. Wer den verstehen will, versteht ihn. Die Frau, die mir so gerne übers Fell streicht, kann das.

Sie hört an meinem Tonfall, ob ich gut drauf bin, oder ob mich ein Zipperlein zwickt. Ob ich übermütig bin und gleich meine narrische Viertelstunde haben werde, oder ob mir mäuselangweilig ist. Im Falle von aufkeimender Fadesse sagt sie: „Tizian, geh in den Garten die Mauserln ärgern." Das tue ich dann. Und weil es mich so verlockt, knabbere ich die Knospen der Hortensien ab. „Nein! Tizian, nein!" Das Wort Nein verstehe ich ganz genau. Aber ich stelle mich taub. Überhaupt bin ich draußen nicht sehr gesprächig. Außer Haus mache ich auf cooler Kater. Bis ich genug von der großen Freiheit habe, vor der Terrassentür sitze und gar kläglich miaue, wenn man mir nicht gleich, in der Sekunde, stante pede, aufmacht.

„Na Tizian, genug Abenteuer für heute?" „Miau, miau!" Jetzt folgt der gemütlichste Teil des Feierabends, jetzt kommt das Schnurren dran, von dem ich Ihnen schon ausführlich erzählt habe.

Tizian und ein paar weise Sprüche

Wissen Sie, was des Philosophen Hauptbeschäftigungen sind? Das Nichtstun und das Denken.

Fürs Nichtstun bin ich geboren. Das Denken überlasse ich gerne meinen Zweibeinern. Vor allem das Grübeln. Denn was mich betrifft, habe ich die Antworten auf die Grundsatzfrage aller Fragen „Wozu lebe ich?" schon gefunden: zum Fressen, zum Schlafen, zum süßesten Nichtstun; und dazu, dass mich meine Menschen glücklich machen. Auf die Gretchenfrage „Tizian, wie hältst du's mit der Nächstenliebe zu deinen Zweibeinern?" erwidere ich abgeklärt: „Geht es mir gut, geht es auch meinen Menschen gut." Da ich nicht will, dass es meinen Lieben schlecht geht, sollen sie nur üppig und hingebungsvoll für mich sorgen.

Die Mutter meiner Zweibeinerin hatte zeitlebens die coolsten Sprüche drauf. Die Ausdrucksweise mit „cool" und so habe ich von den Kindern meiner Menschenfamilie. Die sagen nämlich immer dann, wenn wieder mal ein Großmutter-Spruch zitiert wird: „Die Oma, die war schon cool!"

Die gute Frau ging niemandem mit ihren Sprüchen auf den Wecker. Sie schleuderte sie auch nicht inflationär im Zehnerpack von sich. Aber wenn sie ihren philosophischen Senf zu einer Sache dazugab, dann hat es gepasst.

„Du denkst, du fährst, aber in Wahrheit wirst du geschoben" war einer ihrer Merksätze. Den habe ich gut behalten. Ich kann versuchen zu fahren, aber man fährt mit mir dahin. Ich möchte die Speisekammer leer räumen, aber man verräumt den Schlüssel vor mir. Ich meine das symbolisch. Ich kann ja keinen Schlüssel im Schloss umdrehen, geschweige denn überhaupt eine Tür öffnen, auch wenn sie nicht versperrt ist. Der einzige Hund, den meine Zweibeinerin je hatte, konnte das. Dementsprechend zerkratzt waren alle Türen. Um solche Schöner-Wohnen-Details würde ich mich allerdings auch nicht kümmern, hätte ich die Sesam-öffne-dich-Fähigkeit. Aber ich bin halt zu klein, um im Sprung die Türklinke zu erreichen.

„Immer auf die Kleinen" pflegte die Frau der weisen Sprüche auch gern zu sagen. Sie selbst war einen Meter und fünfundvierzig Zentimeter groß. Nicht gerade Gardemaß. Wir zwei Kleinen, so etwas verbindet. Sie hat mich geliebt, mehr als meine Zweibeinerin. Woher ich das weiß? Sie hat mich mehr gefüttert, mindestens doppelt so oft wie meine Zweibeinerin. Alles klar?

Diese kleine Großmutter meiner großen Menschenfamilie hatte, als sie noch klein war, einen kleinen Hund. Von dem erzählte sie mir manchmal und ich habe mir diese Geschichten, auch wenn sie von einem eher uninteressanten Tier, nämlich einem Hund handelten, immer wieder geduldig angehört, weil es mich faszinierte, dass man siebzig Jahre nach dem Tod eines Tieres immer noch traurig sein kann.

Der Hund hieß Boy. Einer der Brüder der Frau, die in meiner Menschenfamilie nur Oma genannt wurde, hatte ihr den Hund mitgebracht. Der Bruder war Seemann und fuhr über alle Meere dieser Welt. Aus irgendeinem Hafen in Australien oder Afrika schleppte er für seine kleine Schwester (Da waren achtzehn Jahre Altersunterschied zwischen den beiden. Die Oma hatte sieben Brüder und eine Schwester.) den Boy an, einen schwarzen Spitzmischling.

„Tizian, der Boy war eine Seele von einem Hund“, sagte die Oma zu mir. Boy wurde nicht alt. Als er vier war, biss ihn der Riesenhund vom Nachbarn nieder. Boy schleppte sich mit letzter Kraft nach Hause. Er blutete aus Nase und Mund. Er legte sich auf seinen Lieblingsplatz im Hof und starb.

„Immer auf die Kleinen“, sagte die Oma zu mir. „Tizian, pass gut auf dich auf.“

Gerne zitiert meine Zweibeinerin den Spruch ihrer besten Freundin, „Lass dein Leben sich leben“, wenn wieder mal nichts so läuft, wie sie es geplant hat. Wenn alles anders kommt, als gewünscht. Wenn sie müde ist vom Aufbegehren und Ankämpfen. Lass es laufen! Ich lebe stets nach diesem Motto. Ich lebe und mein Leben sorgt für mich. Es füllt meine Futterschälchen und hält viele Streicheleinheiten für mich bereit. Dass ich dabei zu den privilegierten Katzentieren dieser Welt gehöre, nehme ich als Selbstverständlichkeit.

Das Einzige, wofür ich kämpfe: Ich lasse mir nichts wegnehmen.

Die Oma hatte auch für die edle Charaktereigenschaft der Besitzverteidigung einen Spruch: „Wenn man dir gibt, dann nimm. Und wenn man dir nimmt, dann schrei!“ Sie sagte das gerne, wenn sie ihren Enkelkindern Geld zusteckte und die sich, der Form und Etikette halber, kurz zierten.

Wenn man mir gibt, Gutes gibt, dann nehme ich, Schlemmertöpfchen und dergleichen. Wenn man mir nimmt, nehmen will, knurre ich wie ein alter Löwe. Aber ich schreie, besser gesagt brülle nicht wie der legendäre Mähnenkater im Vorspann der Filme von Metro-Goldwyn-

Mayer – ich muss nämlich mein Maul fest geschlossen halten, damit mir die Beute nicht abgenommen wird.

Ich bin da nicht immer erfolgreich, auch wenn ich mich sehr darum bemühe. Die Oma möge mir verzeihen. Immer wieder einmal gelingt meiner Hauptversorgerin, die seltsamerweise auch ein Herz für Vögel und anderes Getier hat, eine Rettungsaktion auf meine Kosten. Sie bringt dann die Amsel oder die verschreckte Fledermaus, die nicht wusste, wie ihr geschah, als ich sie zu meiner Beute machte und heimwärts schleppte, sofort zum pensionierten Biologieprofessor unserer kleinen Stadt, von dem jeder weiß, dass er ein goldenes Händchen für die Pflege verletzter Vögel und anderer Kleintiere hat. Zu seinen aktiven Schulzeiten brachte der Herr Professor einmal in einer Bratpfanne sechs flaumige Vogelküken mit zum Unterricht – die kleinen Piepmätze mussten nämlich stündlich gefüttert werden. Also konnte er sie nicht zuhause lassen. Das war Biologieunterricht der naturnahen Tierschützerart.

Kommt die Zweibeinerin nach solchen überflüssigen Rettungsaktionen meines Lebendfutters wieder heim, entblödet sie sich nicht, mir begeistert zu berichten: „Du, Tizian! Der Professor hat das Vögelchen untersucht. Es wird überleben. Es hat nur einen Schock. Kein Wunder, so wie du es behandelt hast." Ja hätte ich es vielleicht mit Samthandschuhen und Messer und Gabel verspeisen sollen?

Ich ziehe mich, etwas beleidigt, in Denkerposition auf das Wohnzimmersofa zurück. „Man kann im Leben nicht alles haben!" Auch so eine Lebensweisheit, der nichts hinzuzufügen ist. Das nächste Mäuslein verschlinge ich gleich auf dem Acker. Denn ich weiß: Das Helfersyndrom meiner Zweibeinerin macht selbst vor knopfäugigen Feldmäusen nicht Halt.

Tizian, für immer jung?

Zweibeiner, die schon etliche Jährchen auf ihren kaputten Bandscheiben und schmerzenden Knien haben, sagen gerne: „Aber im Herzen drin, da fühle ich mich immer noch jung. Jedenfalls jünger, als es meinem Geburtsdatum entspricht!"

Auf solche Ideen komme ich nicht – darüber nachzudenken, wie alt ich bin und wie alt ich mich fühle.

Ich bin. Das reicht. Ich bin der Tizian und ich bin alterslos. Ich weiß auch gar nicht, wie viel Zeit meiner Lebensuhr schon verronnen ist. Oder wie viele meiner neun Leben ich bereits eingebüßt habe.

Es gibt ja solche Rechenmethoden, die sich die Menschen ausgedacht haben, um Katzenjahre mit Menschenjahren zu vergleichen. Fünf, sechs oder sieben Menschenjahre würden einem Jahr im Leben von uns Samtpfötigen entsprechen.

Alles blanker Zweibeinerunsinn. Überflüssig wie nur. Selbst beim günstigen Jahresumrechnungskurs von fünf zu eins müsste ich ja schon ganz und gar erwachsen sein. Doch jeder, der mich kennt, weiß – davon bin ich schnurrbartlang entfernt. Ich habe mir mein kindliches Gemüt bewahrt.

Wir Stubentiger altern nicht so gleichmäßig wie unsere Menschen. Wir stehen bis ins hohe Alter unter dem Glücksstern der Jugendlichkeit. Uns küsst die Muse der unveränderlichen Schönheit, egal wie viele Lenze wir schon auf dem Katzenbuckl haben. Wir bleiben unverschämt lange jung und erst ganz spät, wenn sich unser Leben wirklich zu Ende neigt, altern wir. Erst dann singt uns die Jugend zu: „Brüderlein fein, Tizian fein, es muss geschieden sein."

Wir Katzen leben den Traum, dem die Zweibeiner so angestrengt hinterherlaufen – wir werden alt und bleiben lange jung dabei. Wir haben das Anti-Aging erfunden. Oder hat schon jemand eine zehnjährige (umgerechnet also eine fünfzig, sechzig oder siebzig Jahre alte) Katze mit Tränensäcken, Stirnfalten und Hängebäckchen gesehen? Eine, der man gerne ein Facelifting verpasst hätte?

Nehmen Sie mich: Ich bin ein erfolgreicher Anti-Ager. Ich bin übermütig wie ein junger Grashupfer, verspielt wie ein Affenkind und energiegeladen wie ein geschmeidiger Puma. Dabei bin ich schon etliche Jahre auf meiner Welt. Denn dass die Welt mir gehört, daran gibt es für mich keinen Zweifel.

Mein Anti-Aging-Konzept: Ich turne regelmäßig, ich schlafe viel und ich mache mir nie Sorgen.

Ein kluger Zweibeiner hat einmal zu seiner Spezies gesagt: Wer alt werden will, muss Ausdauersport machen. Wer gesund alt werden will, muss dazu auch noch turnen.

Für den Ausdauersport habe ich mein eigenes Programm. Ich kann ungemein ausdauernd irgendwo hocken und auf irgendetwas warten. Etwa auf dem weiten Feld des leckeren Lebendfutters auf die lebensmüden Mäuslein, die sich leichtsinnig aus ihrem Unterschlupf wagen. Das ist eine Form von Ausdauersport, wie sie auch von Anglern gern praktiziert wird: stundenlang regungslos warten und dann unbarmherzig zuschlagen.

Das dürfte der kluge Mann, den ich eben unbekannterweise zitiert habe, nicht gemeint haben.

Die Kärntner haben für meine Art der Ausdauerpraktizierung ein eigenes Sprichwort: „Oft ist etwas schneller derwartet, als derrennt!"

Tut mir Leid, mit Marathon kann ich nicht dienen. Ich bin ein Könner der kurzen Strecken. Ein Sprinter. Ein von null auf hundert in null Komma nichts Beschleuniger.

Und ich bin ein begnadeter Kletterer, Dachrinnenakrobat, Fenstersimsbalancierer. Ich kenne keine Höhenangst und bin schwindelfrei.

Vor allem aber bin ich Spitze in Bodenturnen und Gymnastik. Da bin ich olympiareif!

Lassen wir den oft zitierten Katzenbuckl, den sich die Menschen bei uns abgeschaut haben, um damit ihre Wirbelsäule zu entspannen. Ich habe noch viel mehr drauf! Was meine Zweibeinerin bei ihrem Pilates-Kurs macht, das mache ich mit der linken Pfote zwischendurch.

Ich bin gelenkig wie ein Schlangenmensch. Ich kann mir den Rücken und auch seine Verlängerung mit der Zunge säubern. Können Sie das? Ich kann mir selbst den Bauch pinseln. Ich kann mich einringeln wie eine Natter oder auf dem Rücken über der Sofalehne hängend zum U-Hakerl werden. Ich kann Verrenkungen, von denen Menschen nur träumen können.

Dieses Anti-Aging-Turnen dient gleichzeitig der Schönheitspflege und der Reinlichkeit. Ich verteile es über den ganzen Tag. Da bleibt kein Muskel kalt.

Ich bin ein begnadeter Hoch- und Tiefspringer und ich kann mich flach wie eine Flunder machen. Früher, als die Mutter meiner Zweibeinerin noch lebte, war ich öfter bei ihr in Kost und Logis. Sie wohnte ebenerdig mit Balkon.

Sprunghöhe: ein guter Meter. Der Balkon war rundum geschlossen. Nur unten waren etwa zehn Zentimeter zum Durchschlüpfen. Für mich ein Tizianspiel: durch und runter. Und zurück: rauf und durch.

Die Frau, die als Einzige der Familie meine steten Futterverlustängste ernst nahm (Sie war als junge Frau aus Schlesien vertrieben worden, war lange auf der Flucht gewesen, hatte viel gehungert, sich von Rüben vom Feld und Stampfkartoffeln, die für die Schweine bestimmt waren, ernährt – ihr durfte zeitlebens nie jemand mit dem Wort Diät kommen), sagte manchmal: „Tizian, wenn du dann älter bist und nicht mehr so gelenkig, werde ich dir wohl ein Brett, so eine Art Hühnerleiter aufstellen müssen, damit du dir nicht so schwer tust."

Ich brauche bis jetzt keine Aufstiegshilfen. Ich hüpfe immer noch geschmeidig wie eh und je durch die Gegend. Manchmal spüre ich, dass mir die Oma von dort oben aus zusieht. Sie freut sich mit mir. Wir zwei hatten ja eine ganz spezielle Seelenverbindung. So etwas endet nicht mit dem Tod.

Mein zweites Anti-Aging-Rezept ist der Schönheitsschlaf. Den beherrsche ich aus dem Effeff. Den praktiziere ich stundenlang. Ich habe überall, in der ganzen Wohnung und auch im Garten, meine Schlafplätzchen. Da liege ich und pfeife dahin. „Na, du Faulpelz im roten Fell!", sagt meine Zweibeinerin manchmal zu mir. Die Gute irrt. Ich bin nicht faul. Ich arbeite hart für meine Schönheit. Manchmal so hart, dass ich laut und deutlich schnarche.

Ein von den Zweibeinern hoch gelobtes Rezept für „Bleiben Sie länger jung!" ist das Dinner-Cancelling. Es bedeutet: Essen Sie kein Nachtmahl. Keine Kalorie mehr nach 17 Uhr. Wenn Sie der Hunger gar zu arg zwickt, müssen Sie ihn überlisten – mit so Köstlichkeiten wie Tee ohne Zucker, Wasser ohne Himbeersaft oder Essen nur in Gedanken. (Achtung: kann schief gehen! Und endet bei meiner Zweibeinerin manchmal mit einem Kalorienfurioso vor dem Schlafengehen und ganz viel schlechtem Gewissen hinterher.)

Ein chinesisches Sprichwort lautet: „Das Abendessen überlasse deinen Feinden." Ja, wo käme ich denn da hin! Mein Mäusetartar Minz und Maunz zu überlassen! Nichts da! Dazu hatte die Oma meiner Menschenfamilie auch einen klugen Spruch in ihrem Repertoire: „Selber essen macht fett!"

Für mich ist Dinner-Cancelling undurchführbar. Meine Gene sind anders gestrickt. Ich bin ein Late-Night-Dinierer. Ein Jäger der Nacht. Am liebsten mit Mitternachtshäppchen und Katerfrühstück um drei Uhr früh.

Nächtens, wenn den Menschen alle Katzen grau erscheinen, laufen meine Sinne zur Höchstform auf. Ich rieche Beute, ich höre Beute, ich sehe Beute. Meine Augen sind Wunderwerke der Natur. Ich sehe auch dort noch, wo es für die Menschen schon lang zappenduster geworden ist. Katzenaugen eben.

Dinner für Tizian, nicht Dinner-Cancelling. Das ist mein katerpersönliches Anti-Aging-Kochrezept.

Und nun zur dritten Säule, die mir das Leben so erleichtert, dass ich gar keine Zeit habe, alt zu werden: Ich sorge mich nicht. Ich lebe. Ich habe Ihnen das schon ein paar Kapitel zuvor ausführlich geschildert. „Ich zähle täglich meine Sorgen" mag zum Standardrepertoire meiner Menschenfamilie gehören. Mich möge man mit solchen Dingen unbehelligt lassen.

Wird mir das Gejammere der Frau, die meine Katzenfutterdosen heimschleppt, zu viel, schnurre ich ihr kurz was vor und löse ihre Sorgenprobleme auf meine Art – ich schlafe ein.

So bleibe ich für immer jung. Und in diesem Tiziansinn sage ich zu meinen lieben Leserinnen und Lesern „Auf Wiedersehen!"

Bitte bleiben Sie mir gewogen. Auf dass ich Sie in Zukunft wieder einmal um die Pfote wickeln darf.